Collection dirigée par Hélène Potelet et Georges Décote

Émile Zola

Germinal

classiques Hatier

Un genre

Le roman

Groupement de textes

Le travail

Plaute, la Déclaration universelle des droits de l'homme,
Jean de La Fontaine, Victor Hugo, Jean Giono,
témoignage de José Gonçalves Dias

© Hatier
Paris 2003
ISBN 978-2-218-74336-8
ISSN 0184 0851

Sylvie et Jacques Dauvin,
agrégés de Lettres

HATIER

L'air du temps

Germinal

■ Quand Émile Zola publia *Germinal* en 1885, son œuvre eut un énorme retentissement : ses contemporains découvraient sur quelle misère était bâtie la prospérité de leur industrie. En effet, pour écrire son roman, l'auteur a longuement enquêté sur place, « au pays noir ».

■ *Germinal* se passe sous le Second Empire, marqué par le règne de Louis Napoléon Bonaparte (Napoléon III).

À la même époque...

■ Marc Twain publie en 1885 *Les Aventures d'Huckleberry Finn*.

■ En 1885, Pasteur sauve un jeune Alsacien de la rage. Il réalise 350 vaccinations et bouleverse la médecine.

■ Victor Hugo meurt le 22 mai 1885. Des funérailles nationales sont organisées.

■ Le Salon des Indépendants « sans jury ni récompense » est créé en 1884 pour les artistes les plus audacieux.

■ Georges Seurat peint *Un Dimanche après-midi à la campagne* (1884-1885).

3

Sommaire

4

Deuxième partie
Groupement de textes : le travail

Émile Zola (1840-1902)

Des débuts difficiles

Émile Zola, né en 1840, se trouve tout jeune confronté aux problèmes que pose le travail : il n'a pas encore sept ans lorsque son père meurt, les laissant, sa famille et lui, dans une situation matérielle difficile. Le jeune garçon essaie de passer son bac deux fois, échoue, doit enfin, a vingt ans, abandonner ses études pour travailler. Pour vivre, il se contente d'emplois modestes, dans les Douanes, puis dans une importante maison d'édition où il se fait remarquer par son intelligence. Mais, très vite, son vieux rêve – devenir écrivain – le reprend, et, après des articles de journaux, il conçoit un projet énorme : un ensemble de romans qui retraceraient l'histoire, sur plusieurs générations, de toute une famille assez modeste, les Rougon-Macquart, originaires de Provence.

Le romancier naturaliste

Zola veut rompre avec les habitudes littéraires de ses prédécesseurs et fonde l'École naturaliste ; il expose ses principes dans *Le Roman expérimental*. Ses principes s'inspirent du réalisme qui (après les romanciers qui avaient donné une vision « déformée, (…), poétique, attendrissante, charmante ou superbe de la vie ») avait pour but de montrer « la vérité, rien que la vérité, toute la vérité ». Les romanciers doivent privilégier le vrai plutôt que le beau et s'appuyer sur l'observation méthodique et objective de la réalité contemporaine. Ils tireront les sujets de leurs romans ou de leurs nouvelles d'histoires vécues ou de faits divers et recourront à une documentation précise. Leurs personnages sont des gens ordinaires, vraisemblables.

Mais Zola dépasse les principes du réalisme. En cette fin du XIXe siècle, les sciences – et celles de l'homme en particulier, comme la biologie – se sont beaucoup développées et ces progrès influent beaucoup sur la conception que Zola a du roman. « Notre héros, dit Zola, est le sujet physiologique de notre science actuelle, un être qui est composé d'organes et qui trempe dans un milieu dont il est pénétré à toute heure… » Sous l'influence des scientifiques de l'époque, tel le médecin Claude Bernard, Zola prétend en effet appliquer les principes des sciences, les lois de l'expérimentation à des réalités humaines. Il veut que ses personnages donnent l'impression de vivre vraiment, totalement, corps et âme. Zola sait bien que notre esprit, loin d'être une réalité indépendante de notre corps, est au contraire grandement influencé par toutes les manifestations de notre vie physiologique – sensations, maladies, … – et par le milieu dans lequel nous vivons. Enfin, s'il choisit de suivre les membres de cette famille, c'est précisément pour mettre en évidence, chez ses héros, le rôle de l'hérédité, ce phénomène par lequel les caractères physiologiques ou psychologiques se transmettent des parents à leurs descendants. La folie et l'alcool pèsent lourdement dans l'hérédité des Rougon-Macquart. Le romancier naturaliste part d'un fait qu'il observe, reconstitue avec précision le milieu observé (ce sont les conditions de l'expérimentation), crée une situation (c'est « l'hypothèse »), avec un (ou des) personnage(s) (ce sont les matériaux de l'expérience), fait évoluer ses personnages dans ce milieu et dans cette situation. La succession des faits met en valeur le déterminisme qui mène les personnages (c'est l'expérience).

Le Second Empire et la Révolution industrielle

Ses personnages vivent dans une époque tout à fait étonnante : le Second Empire, celui de Napoléon III, la deuxième moitié du XIXe siècle. C'est alors que prend forme le monde dans lequel nous vivons et travaillons, caractérisé par un prodigieux développement des connaissances scientifiques et une multitude d'inventions (télégraphe, téléphone…). On appelle à juste titre cette période la première Révolution industrielle (1770-1880) : l'industrie, l'économie se développent. La cause de ce bouleversement ? La machine à vapeur : grâce à elle, la vitesse des déplacements – inchangée depuis des siècles (c'était celle du cheval) – se trouve décuplée ; le réseau ferroviaire européen se constitue ; on ne connaissait jusqu'alors que l'énergie – limitée – de l'homme ou de l'animal, ou celle – capricieuse – des forces naturelles (vent, eau) ; les travailleurs disposent maintenant d'une puissance inouïe : celle des chevaux-vapeur.

C'est dans ce domaine en pleine mutation que Zola fait vivre et souvent travailler des centaines de personnages ; il les suit dans les milieux les plus divers : sur les voies ferrées (*La Bête humaine*), dans les grands magasins (*Au Bonheur des dames*), dans les quartiers populaires (*L'Assommoir*), dans les campagnes (*La Terre*), dans les halles de la capitale (*Le Ventre de Paris*)…

Le succès de ces romans fut immense : certes, les réalités souvent pénibles que Zola décrivait avec brutalité choquèrent bien des lecteurs, mais la plupart y découvrirent avec passion tout un monde qu'ils ignoraient.

Résumé de *Germinal* (1885)

Première partie. Étienne Lantier, jeune mécanicien, a perdu son emploi. Il erre sur les routes du Nord à la recherche d'un travail quand il aperçoit dans la nuit un puits d'extraction de charbon (*extrait 1*). Il lie conversation avec un vieux mineur, Bonnemort (*extraits 2 et 3*).

Il est quatre heures du matin, le père Maheu et ses enfants en âge de travailler, Zacharie, Jeanlin et Catherine – quinze ans – gagnent la mine. Ils arrivent au puits où Étienne essaie de se faire embaucher (*extrait 4*). Il remplacera une ouvrière de l'équipe Maheu qui vient de mourir. Et c'est sa première descente terrifiante. Maheu et ses compagnons se mettent à extraire le charbon (*extrait 5*) tandis que Catherine initie Étienne à son nouveau métier de herscheur (*extrait 6*). Mais survient un autre mineur, Chaval, qui embrasse brutalement Catherine. Après cette première journée harassante, c'est enfin la remontée. Au même moment, on descend dans la mine un nouveau cheval de mine (*extrait 7*).

Deuxième partie. Au coron, la femme de Maheu va demander la charité à de riches rentiers, les Grégoire (*extrait 8*). En vain… L'épicier Maigrat accorde un dernier crédit à la Maheude qui retrouve son mari après sa journée exténuante (*extrait 9*).

Troisième partie. Plusieurs mois ont passé, Étienne s'est habitué à son nouveau travail coupé de rares fêtes (*extrait 10*). Mais il ne se résigne pas à cette vie sans avenir. Son influence grandit sur ses compagnons de travail. Il les convainc de créer une caisse de solidarité qui pourrait servir en cas de grève, car les conditions de travail et de salaire se dégradent *(extrait 11)*. Un accident tue un mineur et laisse estropié Jeanlin, fils de Maheu *(extrait 12)*.

Quatrième partie. La Compagnie des mines décide d'appliquer un nouveau système de salaires encore plus désavantageux pour les mineurs. La grève est décidée. La situation chez les Maheu devient tragique. Une nuit, les grévistes se réunissent dans la forêt et, menés par Étienne, ils décident une grève générale *(extrait 13)*.

Cinquième partie. À la fosse, où travaillent Chaval et Catherine, les mineurs continuent à travailler *(extrait 14)*. Les grévistes décident alors d'envahir la fosse puis se ruent à travers la campagne *(extrait 15)*. Ils pillent l'épicerie et tuent Maigrat.

Sixième partie. Les gendarmes dispersent les grévistes et Étienne doit se cacher au fond d'une mine abandonnée. Alzire, fille de Maheu, meurt de faim et de froid. Étienne, un soir, se rend chez le cabaretier Rasseneur. Alors qu'il discute avec Souvarine, un anarchiste russe, Chaval entre dans le cabaret avec Catherine. Les deux rivaux en viennent aux mains *(extrait 16)* puis se séparent. Pour casser la grève, la Compagnie fait appel à l'armée pour protéger les fosses ; Maheu meurt dans l'affrontement qui fait de nombreuses victimes *(extrait 17)*.

Septième partie. Les mineurs sont vaincus. Mais Souvarine sabote le Voreux *(extrait 18)* : c'est la panique. Étienne et Catherine, comme Chaval, ont survécu au désastre, mais sont coincés au fond de la mine où Étienne tue son rival. Au fond de la mine, les deux survivants cèdent enfin à l'amour, mais Catherine meurt d'épuisement dans les bras d'Étienne. Plusieurs jours plus tard, Étienne est enfin sauvé *(extrait 19)*. Six semaines après, les mineurs ont repris le travail. Étienne repart pour Paris. Il continuera le combat. Les mineurs ont semé la révolte et la germination du printemps semble annoncer les victoires futures des ouvriers *(extrait 20)*.

Première partie

Germinal

Zola

Le vocabulaire de la mine

Abattage : action de faire tomber, en le détachant, le minerai de la paroi d'une mine.

Accrochage : palier où les berlines sont placées (accrochées) dans les cages des ascenseurs qui circulent dans le puits.

Aérage : système de ventilation, d'aération de la mine.

Beffroi : tour composée de poutres métalliques qui soutient les poulies sur lesquelles passent les câbles.

Berline : wagonnet, benne roulante servant au transport du charbon dans les galeries.

Boisage : consolidation des galeries par des pièces de bois.

Cage : benne servant à monter le minerai ou les mineurs.

Coron : groupe d'habitations de mineurs, propriété de la Compagnie.

Coupe : journée de travail dans la mine.

Cuvelage : dispositif qui assure l'étanchéité du puits lorsqu'il traverse des nappes souterraines.

Fosse : puits d'une exploitation minière.

Galerie : tunnel permettant l'exploitation d'une mine.

Galibot : jeune manœuvre employé pour entretenir les voies.

Haveur : mineur qui « abat » le charbon.

Herscheur : ouvrier(ère) qui pousse les « berlines » au fond de la mine.

Machineur : ouvrier qui manœuvre les machines (mécanicien).

Moulineur : ouvrier qui reçoit, décharge, replace les berlines vides.

Porion : contremaître.

Raccommodeur : ouvrier chargé de l'entretien du boisage et des voies des galeries.

Recette : vaste salle à la surface où est reçu le charbon extrait.

Remblayeur : ouvrier chargé de niveler les galeries.

Rivelaine : pic à manche court.

Roulage, Rouler : transport du charbon du lieu d'abattage au palier d'accrochage.

Taille ou front de taille : extrémité de la galerie pratiquée dans la veine de minerai.

Veine : couche de houille ou de minerai exploitable.

---

*Tous les mots précédés d'un astérisque dans les textes suivants sont expliqués dans cette page.

Extrait 1

« L'homme était parti de Marchiennes »

Dans la plaine rase, sous la nuit sans étoiles, d'une obscurité et d'une épaisseur d'encre, un homme suivait seul la grande route de Marchiennes[1] à Montsou[2], dix kilomètres de pavé coupant tout droit, à travers les champs de bette-
5 raves. Devant lui, il ne voyait même pas le sol noir, et il n'avait la sensation de l'immense horizon plat que par les souffles du vent de mars, des rafales larges comme sur une mer, glacées d'avoir balayé des lieues de marais et de terres nues. Aucune ombre d'arbre ne tachait le ciel, le pavé se déroulait avec la
10 rectitude d'une jetée[3], au milieu de l'embrun[4] aveuglant des ténèbres.

L'homme était parti de Marchiennes vers deux heures. Il marchait d'un pas allongé, grelottant sous le coton aminci de sa veste et de son pantalon de velours. Un petit paquet, noué
15 dans un mouchoir à carreaux, le gênait beaucoup ; et il le serrait contre ses flancs, tantôt d'un coude, tantôt de l'autre, pour glisser au fond de ses poches les deux mains à la fois, des mains gourdes[5] que les lanières du vent d'est faisaient saigner. Une seule idée occupait sa tête vide d'ouvrier sans
20 travail et sans gîte, l'espoir que le froid serait moins vif après le lever du jour. Depuis une heure, il avançait ainsi, lorsque sur la gauche, à deux kilomètres de Montsou, il aperçut des feux rouges, trois brasiers brûlant au plein air, et comme

---

1. Ville minière du Nord de la France, située à environ 35 kilomètres de Lille.
2. Ville imaginée par Zola, située à deux kilomètres du puits de mine du Voreux.
3. En droite ligne, comme une jetée.

4. Au sens propre, sorte de brouillard fait de gouttelettes produites par les vagues qui se brisent au bord de la mer ; ici, à prendre au sens figuré (le scène ne se déroule pas au bord de la mer).
5. Engourdies.

suspendus. D'abord, il hésita, pris de crainte ; puis, il ne put
25 résister au besoin douloureux de se chauffer un instant les
mains.

Un chemin creux s'enfonçait. Tout disparut. L'homme avait
à droite une palissade, quelque mur de grosses planches
fermant une voie ferrée ; tandis qu'un talus d'herbe s'élevait
30 à gauche, surmonté de pignons[6] confus, d'une vision de village
aux toitures basses et uniformes. Il fit environ deux cents pas.
Brusquement, à un coude du chemin, les feux reparurent près
de lui, sans qu'il comprît davantage comment ils brûlaient si
haut dans le ciel mort, pareils à des lunes fumeuses. Mais, au
35 ras du sol, un autre spectacle venait de l'arrêter. C'était une
masse lourde, un tas écrasé de constructions, d'où se dressait
la silhouette d'une cheminée d'usine ; de rares lueurs sortaient
des fenêtres encrassées, cinq ou six lanternes tristes étaient
pendues dehors, à des charpentes dont les bois noircis
40 alignaient vaguement des profils de tréteaux gigantesques, et,
de cette apparition fantastique, noyée de nuit et de fumée, une
seule voix montait, la respiration grosse et longue d'un échappement de vapeur, qu'on ne voyait point.

Alors, l'homme reconnut une *fosse.

Extrait de la première partie, chapitre I.

| **6.** Partie triangulaire qui surmonte un mur et porte l'extrémité du toit.

Repérer et analyser

Le statut du narrateur

Définir le *statut du narrateur*, c'est dire s'il participe ou non à l'histoire qu'il raconte :
– il peut être un des personnages de cette histoire : il mène alors la narration à la première personne ; on l'appelle narrateur-personnage ;
– il peut se situer à l'extérieur de l'histoire, ne prendre aucune part aux événements : il mène alors la narration à la troisième personne.

1 Quel est le statut du narrateur ? Justifiez votre réponse.

Le point de vue

Déterminer le *point de vue*, c'est déterminer l'angle selon lequel le narrateur raconte ou décrit, et c'est répondre à la question : qui sait ? qui voit ?
Le plus souvent, le narrateur fournit au lecteur de nombreuses informations sur les personnages, leurs pensées, leur situation, leur passé, comme s'il savait tout d'eux. Le *narrateur* est alors *omniscient*.
Le narrateur peut limiter l'information et la vision au point de vue d'un seul personnage : le lecteur ne connaît que ce que le personnage sait, voit ou comprend, c'est le *point de vue interne*.
Le narrateur adopte parfois le *point de vue externe*, limitant l'information à ce que pourrait voir un témoin extérieur (une caméra par exemple).
La narration est souvent faite selon un point de vue dominant, mais le narrateur peut varier les points de vue dans une même page.

2 **a.** Montrez en citant le texte que le narrateur adopte au début du roman un point de vue omniscient.
b. Quel autre point de vue le narrateur adopte-t-il dès la fin du second paragraphe ? Pour répondre, dites selon quel point de vue le paysage est décrit. Appuyez-vous sur les verbes de mouvement.

Le roman naturaliste

Le cadre et la description des lieux

Un *roman naturaliste* se présente comme un documentaire, il présente des personnages évoluant dans un milieu déterminé. Avant d'écrire *Germinal*, Zola s'est rendu en pays minier pour amasser une abondante documentation sur les conditions de vie des mineurs.

3 a. Relevez les expressions qui donnent des précisions spatiales et classez-les (voies de communication, noms propres de lieux, éléments naturels, constructions industrielles).

b. Quels sont les termes qui évoquent l'immensité et l'aspect géométrique des lieux ? Quels types de lieu dominent ?

c. Dans quelle région de la France l'action se déroule-t-elle ? Quels éléments caractéristiques de cette région trouvez-vous dans le décor ?

4 a. Relevez les expressions qui donnent des précisions temporelles. À quelle époque, à quelle heure se déroule la scène ?

b. Relevez les termes qui évoquent les conditions atmosphériques.

c. Quelle impression générale se dégage de ce paysage ?

De la description à la vision de l'auteur

« Je regarde et j'observe pour créer, non pour copier » écrit Zola. Il ne cherche pas à faire un simple reportage documentaire sur un milieu donné. À travers la construction romanesque et la puissance de son imaginaire, il impose sa propre vision des choses.

5 Les figures de style

– La *comparaison* met en relation deux éléments (le comparé et le comparant) pour en souligner le point commun. La comparaison est introduite par un mot-outil de comparaison (*comme, tel*…).

– La *métaphore* met également deux éléments en relation, mais sans mot-outil de comparaison. Exemple : l'or de sa chevelure (point commun : la couleur, la brillance). Une métaphore qui se prolonge sur plusieurs lignes s'appelle une *métaphore filée*.

– On appelle *personnification* le fait d'attribuer des sentiments ou des comportements humains à un animal ou une chose. Exemple : le piano solitaire se plaignit.

a. Relevez une comparaison dans le premier paragraphe. À quoi la campagne est-elle comparée ? Analysez les deux métaphores qui suivent cette comparaison et la prolongent.

b. Quelle est l'expression qui personnifie le vent ? À quoi celui-ci est-il assimilé ?

c. Analysez la personnification des lignes 41 à 43.

6 a. Relevez les notations visuelles (formes, couleurs et lumières) et les notations auditives et tactiles.

b. Quelle impression d'ensemble se dégage de ce paysage ? Appuyez-vous sur toutes vos réponses.

Le parcours du héros

7 **a.** Relevez les expressions qui désignent le personnage.
b. Relevez les mots et expressions qui le caractérisent physiquement
et moralement. Quels détails le narrateur a-t-il retenus ?
c. Quelles sont les préoccupations du personnage ? Que semble-t-il
rechercher ?

Les hypothèses de lecture

8 Recherchez dans le dictionnaire le sens du mot « Germinal ». Quel
sera, selon vous, le thème principal du roman ?
9 **a.** À quelle suite immédiate pouvez-vous vous attendre ? Plutôt
optimiste ou pessimiste ? Appuyez-vous sur la question 6b.
b. Imaginez le parcours du héros de *Germinal* : quel obstacle pourrait-il rencontrer ? Qui pourrait l'aider ? Pensez-vous qu'il réussira ou
qu'il échouera ?

Écrire

Changer le statut du narrateur

10 Récrivez le premier paragraphe en changeant le statut du narrateur : Étienne devient un narrateur-personnage.

Adapter un texte au cinéma

Les procédés cinématographiques

– Le *panoramique* : la caméra pivote horizontalement ou verticalement sur un
pied qui, lui, reste immobile ; cela permet de suivre les déplacements d'un personnage avec le même décor.

– Le *travelling* : la caméra est placée sur un véhicule mobile qui avance, recule,
va vers la gauche ou vers la droite ; cela permet de suivre les déplacements
d'un personnage et de découvrir les différents espaces qu'il traverse.

– Le *plan-séquence* : plan prolongé avec mouvements de la caméra qui filme une
scène en continu.

– Le *champ/contre-champ* : plans qui se succèdent en montrant une portion
d'espace et, juste après, la portion qui lui fait face ; dans un dialogue par exemple,
on filme d'abord un interlocuteur, puis celui qui lui fait face.

– Les *gros plans* et les *plans d'ensemble*.

11 Comment adapteriez-vous ce début de roman au cinéma ?
a. Où se situerait la caméra : devant ou derrière « l'homme » ? Appuyez-vous sur des expressions du texte pour répondre.
b. Quels procédés utiliseriez-vous pour filmer cette scène ? Justifiez à chaque fois votre réponse en citant des passages précis du texte.

Lire l'image

12 Observez la photographie ci-dessous. Quels détails du texte retrouvez-vous ? Selon vous, Zola a-t-il bien rendu compte dans son texte du type de paysage que traverse le personnage ?

Mine à Saint-Chamond, photographie de Félix Thiollier (1842-1914).

Extrait 2

« Le Voreux sortait du rêve »

Il fut repris de honte : à quoi bon ? il n'y aurait pas de travail. Au lieu de se diriger vers les bâtiments, il se risqua enfin à gravir le terri[1] sur lequel brûlaient les trois feux de houille, dans des corbeilles de fonte, pour éclairer et réchauffer la besogne. Les
5 ouvriers de la *coupe à terre avaient dû travailler tard, on sortait encore les déblais inutiles. Maintenant, il entendait les *moulineurs pousser les trains sur les tréteaux[2], il distinguait des ombres vivantes culbutant les *berlines, près de chaque feu.

– Bonjour, dit-il en s'approchant d'une des corbeilles[3].

10 Tournant le dos au brasier, le charretier était debout, un vieillard vêtu d'un tricot de laine violette, coiffé d'une casquette en poil de lapin, pendant que son cheval, un gros cheval jaune, attendait, dans une immobilité de pierre, qu'on eût vidé les six berlines montées par lui. Le manœuvre employé au culbu
15 teur[4], un gaillard roux et efflanqué[5], ne se pressait guère, pesait sur le levier[6] d'une main endormie. Et, là-haut, le vent redoublait, une bise glaciale, dont les grandes haleines régulières passaient comme des coups de faux.

– Bonjour, répondit le vieux.

20 Un silence se fit. L'homme, qui se sentait regardé d'un œil méfiant, dit son nom tout de suite.

– Je me nomme Étienne Lantier, je suis *machineur… Il n'y a pas de travail ici ?

Les flammes l'éclairaient, il devait avoir vingt et un ans, très
25 brun, joli homme, l'air fort malgré ses membres menus.

---

1. Monticule formé par les débris de charbon remontés de la mine.
2. Pièces qui supportent les rails de berlines (wagons) remplies de débris de charbon.
3. Récipients où brûle le charbon.
4. Instrument qui sert à basculer une berline pour la vider.
5. Très maigre.
6. Commande du mécanisme.

Rassuré, le charretier hochait la tête.

– Du travail pour un machineur, non, non… Il s'en est encore présenté deux hier. Il n'y a rien.

Une rafale leur coupa la parole. Puis, Étienne demanda, en
30 montrant le tas sombre des constructions, au pied du terri :

– C'est une *fosse, n'est-ce pas ?

Le vieux, cette fois, ne put répondre. Un violent accès de toux l'étranglait. Enfin, il cracha, et son crachat, sur le sol empourpré, laissa une tache noire.

35 – Oui, une fosse, le Voreux… Tenez ! le *coron est tout près.

À son tour, de son bras tendu, il désignait dans la nuit le village dont le jeune homme avait deviné les toitures. Mais les six berlines étaient vides : il les suivit sans un claquement de fouet, les jambes raidies par des rhumatismes ; tandis que le
40 gros cheval jaune repartait tout seul, tirait pesamment entre les rails, sous une nouvelle bourrasque, qui lui hérissait le poil.

Le Voreux, à présent, sortait du rêve. Étienne, qui s'oubliait devant le brasier à chauffer ses pauvres mains saignantes, regardait, retrouvait chaque partie de la fosse, le hangar
45 goudronné du criblage[7], le *beffroi du puits[8], la vaste chambre[9] de la machine d'extraction, la tourelle carrée de la pompe d'épuisement[10]. Cette fosse, tassée au fond d'un creux, avec ses constructions trapues de briques, dressant sa cheminée comme une corne menaçante, lui semblait avoir un air mauvais
50 de bête goulue[11], accroupie là pour manger le monde. Tout en l'examinant, il songeait à lui, à son existence de vagabond, depuis huit jours qu'il cherchait une place ; il se revoyait dans son atelier du chemin de fer, giflant son chef, chassé de Lille, chassé de partout ; le samedi, il était arrivé à Marchiennes,
55 où l'on disait qu'il y avait du travail, aux Forges ; et rien, ni

---

7. Tri des morceaux de charbon, selon leur taille.
8. Pièces de bois qui soutiennent les poulies où passent les cordages des cages qui descendent au puits.
9. Trou, cavité.
10. Petite tour où l'on s'abritait.
11. Avide, qui veut manger.

aux Forges, ni chez Sonneville, il avait dû passer le dimanche caché sous les bois d'un chantier de charronnage[12], dont le surveillant venait de l'expulser, à deux heures de la nuit. Rien, plus un sou, pas même une croûte : qu'allait-il faire ainsi par les chemins, sans but, ne sachant seulement où s'abriter contre la bise ? Oui, c'était bien une fosse, les rares lanternes éclairaient le carreau[13], une porte brusquement ouverte lui avait permis d'entrevoir les foyers des générateurs, dans une clarté vive. Il s'expliquait jusqu'à l'échappement[14] de la pompe, cette respiration grosse et longue, soufflant sans relâche, qui était comme l'haleine engorgée du monstre.

Extrait de la première partie, chapitre I.

Mineurs abattant le charbon. Dessin d'A. de Neuville (1835-1885).

12. Métier qui consiste à construire des charrettes.
13. Ensemble de l'installation d'une mine visible en surface.
14. De vapeur.

Questions

Repérer et analyser

Le cadre spatio-temporel

1 **a.** Relevez les indications de lieu et de temps. Dans quel lieu précis et à quel moment la scène se déroule-t-elle ?
b. Quelles sont les conditions atmosphériques ? Citez des indices.

Le mode de narration : les paroles rapportées

– Le narrateur peut interrompre la narration pour faire parler les personnages : c'est le *style direct*.
– Il peut intégrer dans la narration les paroles (ou les pensées) des personnages en les rapportant sous forme de subordonnées dépendant d'un verbe principal : c'est le *style indirect*.
– Il peut intégrer dans la narration les paroles (ou les pensées) des personnages en les rapportant sans mot subordonnant : c'est le *style indirect libre*. L'emploi du style indirect libre va de pair avec le point de vue interne (voir l'extrait 1) ou point de vue du personnage.

2 **a.** Relevez les passages au style direct : quelles sont les informations fournies par le dialogue ?
b. Relevez des passages où Zola rapporte des paroles ou des pensées au style indirect libre. Quels indices vous ont permis de répondre (temps verbaux, pronoms personnels, ponctuation…) ? Quel est le point de vue adopté par le narrateur ?

Le parcours du héros

3 **a.** Relevez le passage qui présente une description du héros.
b. Dressez la fiche signalétique ou la carte d'identité du personnage.
4 Relevez un passage où le narrateur effectue un retour en arrière. Quelles nouvelles informations sont fournies au lecteur ?
5 Quel est l'état d'esprit du personnage en ce début de roman ?

Le roman naturaliste

L'aspect documentaire

Le romancier naturaliste s'appuie sur une *documentation* précise. Zola a visité plusieurs mines du nord, il a amassé de nombreux documents sur ce monde.

6 Relevez les termes techniques de la mine. Classez les mots en colonnes : bâtiments ou parties de bâtiments ; différentes fonctions ou spécialités des ouvriers ; outils de la mine. Précisez le sens de chacun de ces mots en vous aidant du lexique (page 10).

Une scène prise sur le vif

7 **a.** Relevez les mots désignant les personnages de cette scène et précisez le rôle de chacun d'eux (personnage principal, personnage un peu individualisé, personnage qui se fond dans le décor…).
b. Montrez, en relevant et en classant les mots qui appartiennent au champ lexical des sens (vue, ouïe, toucher…), que Zola sollicite de plus en plus les sens du lecteur. Classez les notations auditives (bruits émanant des hommes, de la nature, de la mine…).

Le portrait d'un mineur

8 **a.** Relevez les mots et expressions qui caractérisent le charretier et son cheval. En quoi consiste son travail ? et celui du cheval ?
b. Quel est l'état physique de ce mineur ?

L'originalité du naturalisme de Zola

La personnification de la mine

9 En quoi le nom de la fosse est-il en rapport avec les mots « goulue » et « manger » (l. 50) ?
10 Quel élément du décor minier est personnifié (voir l'extrait I) et accède au statut de personnage ?
11 Relevez la comparaison l. 66. À quoi la mine est-elle assimilée ?
12 Quelle impression se dégage de ce décor ?

Une atmosphère et des symboles

13 Relevez les expressions qui indiquent les jeux d'éclairage. Quelle atmosphère est créée ?
14 Quelle est la couleur dominante ici ? Que symbolise-t-elle ?

Écrire

Exercice de réécriture

15 Transposez les lignes 54 à 61 au discours direct, comme si Étienne s'adressait au vieux mineur.

Extrait 3

« C'est joli, cinquante ans de mine »

– Moi, dit-il, je suis de Montsou, je m'appelle Bonnemort.

– C'est un surnom ? demanda Étienne étonné.

Le vieux eut un ricanement d'aise, et montrant le Voreux :

– Oui, oui… On m'a retiré trois fois de là-dedans en
5 morceaux, une fois avec tout le poil roussi, une autre avec de la terre jusque dans le gésier, la troisième avec le ventre gonflé d'eau comme une grenouille… Alors, quand ils ont vu que je ne voulais pas crever, ils m'ont appelé Bonnemort pour rire.

10 Sa gaieté redoubla, un grincement de poulie mal graissée, qui finit par dégénérer en un accès terrible de toux. La corbeille[1] de feu, maintenant, éclairait en plein sa grosse tête, aux cheveux blancs et rares, à la face plate, d'une pâleur livide, maculée de taches bleuâtres. Il était petit, le cou énorme, les
15 mollets et les talons en dehors, avec de longs bras dont les mains carrées tombaient à ses genoux. Du reste, comme son cheval qui demeurait immobile sur les pieds, sans paraître souffrir du vent, il semblait en pierre, il n'avait l'air de se douter ni du froid ni des bourrasques sifflant à ses oreilles. Quand il
20 eut toussé, la gorge arrachée par un raclement profond, il cracha au pied de la corbeille, et la terre noircit.

Étienne le regardait, regardait le sol qu'il tachait de la sorte.

– Il y a longtemps, reprit-il, que vous travaillez à la mine ?

Bonnemort ouvrit tout grands les deux bras.

25 – Longtemps, ah ! oui !… Je n'avais pas huit ans, lorsque je suis descendu, tenez ! juste dans le Voreux, et j'en ai

cinquante-huit, à cette heure. Calculez un peu… J'ai tout fait
là-dedans, *galibot d'abord, puis *herscheur, quand j'ai eu
la force de *rouler, puis *haveur pendant dix-huit ans.
30 Ensuite, à cause de mes sacrées jambes, ils m'ont mis de la
coupe à terre, *remblayeur, *raccommodeur, jusqu'au moment où il leur a fallu me sortir du fond, parce que le médecin
disait que j'allais y rester. Alors, il y a cinq années de cela, ils
m'ont fait charretier… Hein ? c'est joli, cinquante ans de mine,
35 dont quarante-cinq au fond !

Tandis qu'il parlait, des morceaux de houille enflammée,
qui, par moments, tombaient de la corbeille, allumaient sa
face blême d'un reflet sanglant.

– Ils me disent de me reposer, continua-t-il. Moi, je ne veux
40 pas, ils me croient trop bête !… J'irai bien deux années,
jusqu'à ma soixantaine, pour avoir la pension de cent quatre-
vingts francs. Si je leur souhaitais le bonsoir aujourd'hui,
ils m'accorderaient tout de suite celle de cent cinquante. Ils
sont malins, les bougres !… D'ailleurs, je suis solide, à part
45 les jambes. C'est, voyez-vous, l'eau qui m'est entrée sous la
peau, à force d'être arrosé dans les *tailles. Il y a des jours
où je ne peux pas remuer une patte sans crier.

Une crise de toux l'interrompit encore.

– Et ça vous fait tousser aussi ? dit Étienne.
50 Mais il répondit non de la tête, violemment. Puis, quand il
put parler :

– Non, non, je me suis enrhumé, l'autre mois. Jamais je ne
toussais, à présent je ne peux plus me débarrasser… Et le drôle,
c'est que je crache, c'est que je crache…
55 Un raclement monta de sa gorge, il cracha noir.

– Est-ce que c'est du sang ? demanda Étienne, osant enfin
le questionner.

Lentement, Bonnemort s'essuyait la bouche d'un revers de
main.

60   – C'est du charbon… J'en ai dans la carcasse de quoi me chauffer jusqu'à la fin de mes jours. Et voilà cinq ans que je ne remets pas les pieds au fond. J'avais ça en magasin, paraît-il, sans même m'en douter. Bah ! ça conserve !

Il y eut un silence, le marteau lointain battait à coups régu-
65 liers dans la *fosse, le vent passait avec sa plainte, comme un cri de faim et de lassitude venu des profondeurs de la nuit. Devant les flammes qui s'effaraient[2], le vieux continuait plus bas, remâchant des souvenirs.

Ah ! bien sûr, ce n'était pas d'hier que lui et les siens tapaient
70 à la *veine ! La famille travaillait pour la Compagnie des mines de Montsou, depuis la création, et cela datait de loin, il y avait déjà cent six ans. Son aïeul, Guillaume Maheu, un gamin de quinze ans alors, avait trouvé le charbon gras à Réquillart, la première fosse de la Compagnie, une vieille fosse aujourd'hui
75 abandonnée, là-bas, près de la sucrerie Fauvelle. Tout le pays le savait, à preuve que la veine découverte s'appelait la veine Guillaume, du prénom de son grand-père. Il ne l'avait pas connu, un gros à ce qu'on racontait, très fort, mort de vieillesse à soixante ans. Puis, son père, Nicolas Maheu dit le Rouge,
80 âgé de quarante ans à peine, était resté dans le Voreux, que l'on fonçait[3] en ce temps-là : un éboulement, un aplatissement complet, le sang bu et les os avalés par les roches. Deux de ses oncles et ses trois frères, plus tard, y avaient aussi laissé leur peau. Lui, Vincent Maheu, qui en était sorti à peu près
85 entier, les jambes mal d'aplomb seulement, passait pour un malin. Quoi faire, d'ailleurs ? Il fallait travailler. On faisait ça de père en fils, comme on aurait fait autre chose. Son fils, Toussaint Maheu, y crevait maintenant, et ses petits-fils, et tout son monde, qui logeait en face, dans le *coron. Cent six

2. Les flammes, comme effrayées par cette atmosphère,
doivent faiblir, partir dans tous les sens.
3. Creusait en descendant.

90 ans d'*abattage, les mioches après le vieux, pour le même
patron : hein ? beaucoup de bourgeois n'auraient pas su dire
si bien leur histoire !

– Encore, lorsqu'on mange ! murmura de nouveau Étienne.

– C'est ce que je dis, tant qu'on a du pain à manger, on peut
95 vivre.

Bonnemort se tut, les yeux tournés vers le coron, où des
lueurs s'allumaient une à une.

Quatre heures sonnaient au clocher de Montsou, le froid
devenait plus vif.

100 – Et elle est riche, votre Compagnie ? reprit Étienne.

Le vieux haussa les épaules, puis les laissa retomber comme
accablé sous un écroulement d'écus.

– Ah ! oui, ah ! oui... Pas aussi riche peut-être que sa voisine,
la Compagnie d'Anzin. Mais des millions et des millions tout
106 de même. On ne compte plus... Dix-neuf fosses, dont treize
pour l'exploitation, le Voreux, la Victoire, Crèvecœur, Mirou,
Saint-Thomas, Madeleine, Feutry-Cantel, d'autres encore, et
six pour l'épuisement[4] ou l'*aérage, comme Réquillart... Dix
mille ouvriers, des concessions[5] qui s'étendent sur soixante-
110 sept communes, une extraction de cinq mille tonnes par jour,
un chemin de fer reliant toutes les fosses, et des ateliers, et des
fabriques !... Ah ! oui, ah ! oui, il y en a, de l'argent !

Un roulement de *berlines, sur les tréteaux, fit dresser les
oreilles du gros cheval jaune. En bas, la cage devait être réparée,
115 les *moulieurs avaient repris leur besogne. Pendant qu'il atte-
lait sa bête, pour redescendre, le charretier ajouta doucement,
en s'adressant à elle :

– Faut pas t'habituer à bavarder, fichu paresseux !... Si
M. Hennebeau savait à quoi tu perds le temps !

120 Étienne, songeur, regardait la nuit. Il demanda :

---

4. Assèchement des galeries.
5. Privilèges que donne l'État pour exploiter une mine.

– Alors, c'est à M. Hennebeau, la mine ?

– Non, expliqua le vieux, M. Hennebeau n'est que le directeur général. Il est payé comme nous.

D'un geste, le jeune homme montra l'immensité des ténèbres.

125 – À qui est-ce donc, tout ça ?

Mais Bonnemort resta un instant suffoqué par une nouvelle crise, d'une telle violence, qu'il ne pouvait reprendre haleine. Enfin, quand il eut craché et essuyé l'écume noire de ses lèvres, il dit, dans le vent qui redoublait :

130 – Hein ? à qui tout ça ?… On n'en sait rien. À des gens.

Et, de la main, il désignait dans l'ombre un point vague, un lieu ignoré et reculé, peuplé de ces gens, pour qui les Maheu tapaient à la veine depuis plus d'un siècle.

Sa voix avait pris une sorte de peur religieuse, c'était comme 135 s'il eût parlé d'un tabernacle[6] inaccessible, où se cachait le dieu repu et accroupi, auquel ils donnaient tous leur chair, et qu'ils n'avaient jamais vu.

– Au moins si l'on mangeait du pain à sa suffisance ! répéta pour la troisième fois Étienne, sans transition apparente.

140 – Dame, oui ! si l'on mangeait toujours du pain, ça serait trop beau !

Le cheval était parti, le charretier disparut à son tour, d'un pas traînard d'invalide. Près du culbuteur, le manœuvre n'avait point bougé, ramassé en boule, enfonçant le menton entre ses 145 genoux, fixant sur le vide ses gros yeux éteints.

Quand il eut repris son paquet, Étienne ne s'éloigna pas encore. Il sentait les rafales lui glacer le dos, pendant que sa poitrine brûlait, devant le grand feu. Peut-être, tout de même, ferait-il bien de s'adresser à la fosse : le vieux pouvait ne pas 150 savoir ; puis, il se résignait, il accepterait n'importe quelle besogne. Où aller et que devenir, à travers ce pays affamé

| **6.** Petite armoire située sur l'autel d'une église et qui contient le ciboire, récipient sacré.

par le chômage ? laisser derrière un mur sa carcasse de chien
perdu ? Cependant, une hésitation le troublait, une peur du
Voreux, au milieu de cette plaine rase, noyée sous une nuit si
155 épaisse. À chaque bourrasque, le vent paraissait grandir,
comme s'il eût soufflé d'un horizon sans cesse élargi. Aucune
aube ne blanchissait dans le ciel mort, les hauts fourneaux
seuls flambaient, ainsi que les fours à coke[7], ensanglantant les
ténèbres, sans en éclairer l'inconnu. Et le Voreux, au fond de
160 son trou, avec son tassement de bête méchante, s'écrasait
davantage, respirait d'une haleine plus grosse et plus longue,
l'air gêné par sa digestion pénible de chair humaine.

Extrait de la première partie, chapitre I.

Mineurs, dessin de Constantin Émile Meunier (1831-1905).

| **7.** Résidu de la distillation de la houille.

Questions

Repérer et analyser

Le cadre social et les personnages

1 Faites l'arbre généalogique de la famille Maheu. Quelles sont les conditions de vie à la mine ? Ont-elles changé au fil du temps ?

2 Quelles sont les deux classes sociales qui s'opposent ?

3 **a.** Quels nouveaux personnages sont mentionnés qui semblent devoir prendre une place importante dans l'action ?
b. Quelles expressions les désignent (noms propres, fonction, pronoms personnels indéfinis…) ? Sont-ils bien définis, bien identifiés ?

4 **a.** Justifiez le surnom de Bonnemort. Où réside son ironie ?
b. Quelles sont les conséquences de « cinquante ans de mine » sur l'état physique de Bonnemort ? Sur quel ton parle-t-il de cela ?
c. « Ils me disent… » (l. 39) : qui Bonnemort désigne-t-il par ce pronom « ils » ? Quelle nuance ce pronom comporte-t-il ? Déduisez-en les sentiments de Bonnemort envers ces personnes.
d. Quel est le niveau de langage utilisé par Bonnemort ?

5 Bonnemort est une application des principes naturalistes (voir p. 5 et 30-31) : montrez-le à l'aide d'exemples.

Le parcours du héros

6 Précisez clairement quelle est la quête d'Étienne.

7 **a.** Quel est l'état d'esprit d'Étienne après son entrevue avec Bonnemort (à partir de la ligne 146) ? Retracez le cours de ses réflexions.
b. Quel est le type de phrases qui exprime sa perplexité, ses doutes ?
c. Quels sont les différents obstacles qui se dressent devant lui ? Justifiez votre réponse par des expressions du texte.

8 Cherchez (dans une encyclopédie ou une édition des *Rougon-Macquart*) la généalogie d'Étienne. Quelle « fatalité » pèse sur lui ?

L'originalité du naturalisme de Zola

La dimension fantastique et symbolique

9 **a.** Bonnemort est un personnage au physique inquiétant : par quelles expressions le narrateur lui donne-t-il un aspect monstrueux ?

b. Quel détail terrible rythme le texte ? « La terre noircit » (l. 21) : quelle valeur symbolique prend cette notation ?

c. Pour Zola, à force de travail, les hommes deviennent presque des machines : quelle expression du début du texte le montre ?

10 Relevez les expressions qui font du puits de mine un monstre. À quel monstre mythologique grec peut-il faire penser ?

La visée

Déterminer la *visée* d'un texte, c'est retrouver l'intention de l'auteur et l'effet qu'il cherche à produire sur le lecteur : convaincre, faire rire, émouvoir...

11 À travers le récit et le portrait du père Bonnemort, que cherche à dénoncer Zola ? Quelle thèse défend-il implicitement ?

Étudier le lexique

12 Cherchez le nom des maladies dont souffre Bonnemort :
– « Le poil roussi » : br ....e grave.
– « Terre dans le gésier » : ....
– « Ventre gonflé d'eau » : hyd ......e.
– « Une pâleur livide » : a ....e.
– « Les mollets et les talons en dehors : déformation o .....e.
– « Il toussa » : b ....e.

Adapter un texte au cinéma

Les techniques cinématographiques

Pour réussir une scène de film, il faut : soigner les couleurs ; composer une bande sonore ; combiner les plans : arrière-plan, premier plan, gros plan, plan général.

13 a. Quelle est la valeur symbolique des couleurs mentionnées ici ?
b. Imaginez tous les bruits qui rythment le dialogue.
c. Quelles notations permettent d'imaginer la « toile de fond » (couleurs et musique) ? Sur quels détails feriez-vous des gros plans ? Étudiez l'alternance, au long du texte, de gros plans et de vues générales.

Se documenter

La généalogie d'Étienne

Les romanciers naturalistes considèrent les hommes comme soumis à un déterminisme biologique et social, à des lois presque scientifiques, notamment à celles de l'hérédité. Étienne fait partie de la famille des Rougon-Macquart dont Zola raconte l'histoire dans vingt romans. Il porte en lui les traces de son hérédité, comme les autres personnages du cycle des romans de Zola. Un peu plus loin dans le roman (première partie, chapitre IV), sont fugitivement évoquées son ascendance et sa « maman » :

« Il avait une haine de l'eau-de-vie, la haine du dernier enfant d'une race d'ivrognes, qui souffrant dans sa chair de toute cette ascendance trempée et détraquée d'alcool, au point que la moindre goutte en était devenue pour lui un poison.

– C'est à cause de maman que ça m'ennuie d'avoir été mis à la rue, [...]. Maman n'est pas heureuse, et je lui envoyais de temps à autre une pièce de cent sous.

– Où est-elle donc, ta mère ?

– À Paris... Blanchisseuse, rue de la Goutte d'Or.

Il y eut un silence [...]. Il revoyait son enfance, sa mère jolie encore et vaillante, lâchée par son père, puis reprise après s'être mariée à un autre, vivant entre les deux hommes qui la mangeaient, roulant avec eux au ruisseau, dans le vin, dans l'ordure. C'était là-bas, il se rappelait la rue, des détails lui revenaient : le linge sale au milieu de la boutique, et des ivresses qui empuantissaient la maison, et des gifles à casser les mâchoires. »

Sa mère s'appelle Gervaise et est l'héroïne de *L'Assommoir*.

La conception naturaliste du personnage

Dans les romans de Zola, le personnage n'est pas dissociable de la description. Zola explique sa conception du personnage dans *Le Roman expérimental* (1880) :

« Un produit de l'air et du sol. Nous ne décrivons plus pour décrire [...] Nous estimons que l'homme ne peut être séparé de son milieu, qu'il est complété par son vêtement, par sa maison, par sa ville, par sa province ; et, dès lors, nous ne noterons pas un seul phénomène de son cerveau ou de son cœur, sans en chercher les causes ou le contrepoint dans le milieu. De là [...] nos descriptions.

Nous avons fait à la nature, au vaste monde, une place aussi large qu'à l'homme [...]. Le personnage [...] n'est plus une abstraction psychologique [...]. (Il) est devenu un produit de l'air et du sol, comme la plante ; c'est la conception scientifique. »

Les maladies professionnelles

Certains métiers s'exercent dans un environnement nocif pour la santé, qu'il s'agisse de manipulation ou d'inhalation de produits toxiques, provoquant des *maladies professionnelles*.

• La *silicose*, maladie des mineurs

Bonnemort est atteint d'une des plus graves parmi ces maladies, la *silicose*, qui touche les ouvriers des mines, des carrières, des cimenteries, parce qu'ils respirent un air chargé de minuscules particules de charbon ou de silice. Celles-ci, à la longue, se déposent à l'intérieur des poumons et durcissent, sclérosent les muqueuses pulmonaires, provoquant de graves accidents respiratoires et des troubles de la circulation. On a calculé qu'un mineur pouvait absorber, en trente ans de travail au fond, six kilos de ces poussières, mais qu'il en éliminait environ cinq kilos neuf cent grammes par les mécanismes de défense naturelle de l'organisme. Bonnemort n'aurait donc « en magasin » qu'une centaine de grammes de charbon, mais ils suffisent à endommager irrémédiablement les poumons.

L'*asbestose* ou asbeste, est une forme de silicose, atteignant les ouvriers des carrières d'amiante : les fibres de ce minéral sont en effet cancérigènes et provoquent l'asphyxie. L'extraction du béryl, métal rare, peut entraîner, après seulement six mois de travail dans une carrière, la mort par silicose (plus précisément, par *bérylliose*).

• Il existe bien d'autres substances toxiques : les imprimeurs manipulent des caractères en plomb et sont atteints de *saturnisme*.

• L'environnement (bruits, luminosité, température, dimension du local), la répétition d'un même geste peuvent entraîner d'autres maladies professionnelles : surdité, troubles de la vue, déformation osseuse...

Extrait 4

« Le puits avalait des hommes par bouchées »

Non loin de là, une petite maison pauvre, mais propre, dans le *coron des 240 ; quatre heures du matin : il est temps pour le père Maheu, ses deux fils, Zacharie – vingt et un ans – et Jeanlin – onze ans –, sa fille Catherine – quinze ans –, de gagner la mine. Le ventre vide, – ils n'ont plus d'argent pour finir la quinzaine –, ils se joignent aux autres charbonniers. Étienne continue à demander si l'on a quelque travail pour lui et arrive à la bouche du puits de mine, le Voreux.

Un instant, Étienne resta immobile, assourdi, aveuglé. Il était glacé, des courants d'air entraient de partout. Alors, il fit quelques pas, attiré par la machine[1], dont il voyait maintenant luire les aciers et les cuivres. Elle se trouvait en arrière du
5 puits, à vingt-cinq mètres, dans une salle plus haute, et assise si carrément sur son massif de briques, qu'elle marchait à toute vapeur, de toute sa force de quatre cents chevaux[2], sans que le mouvement de sa bielle énorme, émergeant et plongeant avec une douceur huilée, donnât un frisson aux murs. Le
10 *machineur, debout à la barre de mise en train, écoutait les sonneries des signaux, ne quittait pas des yeux le tableau indicateur, où le puits était figuré[3], avec ses étages différents, par une rainure verticale, que parcouraient des plombs pendus à des ficelles, représentant les *cages. Et, à chaque départ, quand
15 la machine se remettait en branle, les bobines, les deux

---

1. La machine à vapeur qui meut les cages des ascenseurs circulant dans les puits.
2. Chevaux-vapeurs.
3. Représenté.

immenses roues de cinq mètres de rayon aux moyeux[4] desquels les deux câbles d'acier s'enroulaient et se déroulaient en sens contraire, tournaient d'une telle vitesse, qu'elles n'étaient plus qu'une poussière grise.

20 – Attention donc ! crièrent trois *moulineurs, qui traînaient une échelle gigantesque.

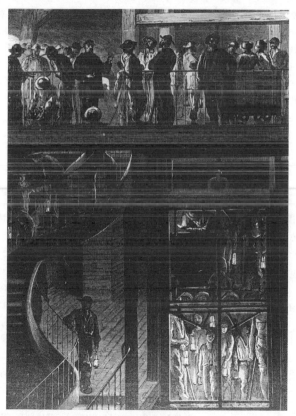

Descente des mineurs.

| **4.** Partie centrale de la roue traversée par l'axe.

Étienne avait manqué d'être écrasé. Ses yeux s'habituaient, il regardait en l'air filer les câbles, plus de trente mètres de ruban d'acier, qui montait d'une volée dans le *beffroi, où ils
25 passaient sur les molettes[5], pour descendre à pic dans le puits s'attacher aux cages d'extraction. Une charpente de fer, pareille à la haute charpente d'un clocher, portait les molettes. C'était un glissement d'oiseau, sans un bruit, sans un heurt, la fuite rapide, le continuel va-et-vient d'un fil de poids énorme, qui
30 pouvait enlever jusqu'à douze mille kilogrammes, avec une vitesse de dix mètres à la seconde.

– Attention donc, nom de Dieu ! crièrent de nouveau les moulineurs, qui poussaient l'échelle de l'autre côté, pour visiter la molette de gauche.

35 Lentement, Étienne revint à la *recette. Ce vol géant sur sa tête l'ahurissait. Et, grelottant dans les courants d'air, il regarda la manœuvre des cages, les oreilles cassées par le roulement des *berlines. Près du puits, le signal fonctionnait, un lourd marteau à levier, qu'une corde tirée du fond laissait tomber
40 sur un billot[6]. Un coup pour arrêter, deux pour descendre, trois pour monter : c'était sans relâche comme des coups de massue dominant le tumulte, accompagnés d'une claire sonnerie de timbre[7], pendant que le moulineur, dirigeant la manœuvre, augmentait encore le tapage, en criant des ordres
45 au machineur, dans un porte-voix. Les cages, au milieu de ce branle-bas, apparaissaient et s'enfonçaient, se vidaient et se remplissaient, sans qu'Étienne comprît rien à ces besognes compliquées.

Il ne comprenait bien qu'une chose : le puits avalait des
50 hommes par bouchées de vingt et de trente, et d'un coup de gosier si facile, qu'il semblait ne pas les sentir passer.

Extrait de la première partie, chapitre III.

| **5.** Poulies. | | **6.** Bloc de bois ou d'acier | | **7.** Cloche.

Questions

Repérer et analyser

Le roman naturaliste

La description des machines

1 Relevez les expressions et les termes techniques qui désignent et caractérisent les machines : leur gigantisme, leurs bruits divers, leur rendement et leur robustesse, leur vitesse de travail, leur régularité inlassable (étudiez les verbes : sens, temps et modes).

2 Expliquez le phénomène optique décrit dans les lignes 18-19.

3 Relevez toutes les notations auditives. Précisez l'origine des bruits et des sons évoqués.

L'originalité du naturalisme de Zola

La transfiguration du réel

4 À travers quel point de vue la description est-elle faite ?

5 **a.** Étudiez le rythme de la phrase lignes 27 à 29 en mettant en valeur la régularité de certains membres de phrase, puis leur allongement. En quoi le rythme traduit-il le mouvement de la machine ?

b. Relevez deux expressions qui assimilent la machine à un oiseau.

6 Analysez la métaphore des dernières lignes. À quoi le puits tout entier est-il assimilé ? Reportez-vous aux extraits précédents.

7 Au milieu de ces machines écrasantes, quelques hommes seulement : pourquoi selon vous Zola ne s'attarde-t-il pas sur la description des machineurs ?

8 Quel est l'effet produit sur Étienne par ces machines ?

Écrire

Décrire à la manière de Zola

9 Décrivez, à votre tour, une machine industrielle ou agricole (derrick, presse à emboutir, rotative...) en vous efforçant de l'animer d'une vie propre et en la rendant peut-être monstrueuse. Vous utiliserez la personnification, la métaphore, la comparaison.

Extrait 5

« Le cou tordu, les bras levés »

Étienne a de le chance : une ouvrière de l'équipe de Maheu manque à l'appel ; elle est morte. Le voilà donc embauché comme *herscheur. Et c'est pour lui la première descente verti- gineuse, terrifiante, cinq cents mètres plus bas. C'est Catherine, la fille de Maheu, qu'Étienne a d'abord prise pour un garçon, qui rassure le « nouveau » pendant la descente dans le puits jusqu'au *front de taille. Toute l'équipe gagne son chantier, dans les ténèbres, à travers les galeries presque impraticables de cette « fourmilière géante ».

Les quatre *haveurs venaient de s'allonger les uns au-dessus des autres, sur toute la montée du front de taille. Séparés par les planches à crochets qui retenaient le charbon abattu, ils occupaient chacun quatre mètres environ de la *veine ; et cette
5   veine était si mince, épaisse à peine en cet endroit de cinquante centimètres, qu'ils se trouvaient là comme aplatis entre le toit et le mur, se traînant des genoux et des coudes, ne pouvant se retourner sans se meurtrir les épaules. Ils devaient, pour attaquer la houille, rester couchés sur le flanc, le cou tordu,
10   les bras levés et brandissant de biais la *rivelaine, le pic à manche court.

En bas, il y avait d'abord Zacharie ; Levaque et Chaval[1] s'étageaient au-dessus ; et, tout en haut enfin, était Maheu. Chacun havait le lit de schiste[2], qu'il creusait à coup de

---

1. Jeune mineur de vingt-cinq ans, grand, maigre, osseux ; violent, brutal avec les femmes. Il a des visées sur Catherine et est jaloux d'Étienne dès l'arrivée de celui-ci.
2. Roche qui présente une structure feuilletée.

15 rivelaine ; puis, il pratiquait deux entailles verticales dans la
couche, et il détachait le bloc en enfonçant un coin de fer, à
la partie supérieure. La houille était grasse, le bloc se brisait,
roulait en morceaux le long du ventre et des cuisses. Quand
ces morceaux, retenus par la planche, s'étaient amassés sous
20 eux, les haveurs disparaissaient, murés dans l'étroite fente.

C'était Maheu qui souffrait le plus. En haut, la température
montait jusqu'à trente-cinq degrés, l'air ne circulait pas, l'étouf-
fement à la longue devenait mortel. Il avait dû, pour voir clair,
fixer sa lampe à un clou, près de sa tête ; et cette lampe, qui
25 chauffait son crâne, achevait de lui brûler le sang. Mais son
supplice s'aggravait surtout de l'humidité. La roche, au-dessus
de lui, à quelques centimètres de son visage, ruisselait d'eau,
de grosses gouttes continues et rapides, tombant sur une sorte
de rythme entêté, toujours à la même place. Il avait beau tordre
30 le cou, renverser la nuque : elles battaient sa face, s'écrasaient,
claquaient sans relâche. Au bout d'un quart d'heure, il était
trempé, couvert de sueur lui-même, fumant d'une chaude buée
de lessive. Ce matin-là, une goutte, s'acharnant dans son œil,
le faisait jurer. Il ne voulait pas lâcher son havage, il donnait
35 de grands coups, qui le secouaient violemment entre les deux
roches, ainsi qu'un puceron pris entre deux feuillets d'un livre,
sous la menace d'un aplatissement complet.

Pas une parole n'était échangée. Ils tapaient tous, on n'entendait que ces coups irréguliers, voilés[3] et comme lointains.
40 Les bruits prenaient une sonorité rauque, sans un écho dans
l'air mort. Et il semblait que les ténèbres fussent d'un noir
inconnu, épaissi par les poussières volantes du charbon, alourdi
par des gaz qui pesaient sur les yeux. Les mèches des lampes,
sous leurs chapeaux de toile métallique, n'y mettaient que des
45 points rougeâtres. On ne distinguait rien, la *taille s'ouvrait,

| **3.** Assourdis, sans netteté.

montait ainsi qu'une large cheminée, plate et oblique, où la suie de dix hivers aurait amassé une nuit profonde. Des formes spectrales[4] s'y agitaient, les lueurs perdues laissaient entrevoir une rondeur de hanche, un bras noueux, une tête violente,

50 barbouillée comme pour un crime. Parfois, en se détachant, luisaient des blocs de houille, des pans et des arêtes, brusquement allumés d'un reflet de cristal. Puis, tout retombait au noir, les rivelaines tapaient à grands coups sourds, il n'y avait plus que le halètement des poitrines, le grognement de gêne et de

55 fatigue, sous la pesanteur de l'air et la pluie des sources.

Extrait de la première partie, chapitre IV.

Jeune homme employé à l'extraction du charbon.

| **4.** Qui avaient l'air de fantômes.

Repérer et analyser

La structure de l'extrait et le point de vue

1 Délimitez les deux parties du texte et donnez-leur un titre. Dans quel ordre le narrateur décrit-il les mineurs ?

2 **a.** Cette description est-elle faite selon le point de vue du narrateur omniscient ou selon le point de vue d'un personnage ?
b. Relevez les indications de lieu qui organisent l'espace.

Le roman naturaliste

Un documentaire sur la mine (voir l'extrait 2)

3 Relevez le vocabulaire technique de la mine (outils, emplois, configuration de la mine…) ainsi que les précisions chiffrées.

4 En quoi consiste le métier de haveur ? Pour vous imaginer leur position, reportez-vous à la reproduction page 38. Quelle phrase du texte est précisément illustrée par la reproduction ?

5 La mine fait souffrir les hommes : quelles parties de leur corps se trouvent atteintes ?

L'originalité du naturalisme de Zola

Du réel à la vision mythique

La puissance de l'imaginaire de Zola transfigure la description du *réel* en une *vision mythique* : la mine est assimilée à l'enfer, les souffrances des mineurs s'apparentent à une véritable damnation.

6 Montrez que tous les éléments – la terre, le feu, l'air et l'eau – se liguent contre les mineurs ; relevez en les groupant les mots qui appartiennent au champ lexical des quatre éléments.

7 **a.** Citez la phrase dans laquelle les mineurs ne sont plus désignés que par les parties de leur corps. Quel est l'effet produit ?
b. À quoi les mineurs sont-ils successivement assimilés dans cet extrait ?

8 En quoi la mine ressemble-t-elle à l'enfer ?
Relevez les expressions qui le montrent (espace, sons, couleurs, lumières, torture, mort).

Étudier le lexique

9 Rendez à chaque profession ses outils et ses instruments (attention certains outils peuvent convenir à plusieurs professions!):

Métiers		Outils		
boulanger	ébéniste	toque	trébuchet	dé
pâtissier	tisserand	serpe	enclume	pinceau
tailleur	potier	pétrin	faucille	bêche
maçon	vitrier	ciseau	masque	navette
forgeron	horloger	burin	alène	moule
cordonnier	pharmacien	rouleau	marbre	diamant
architecte	imprimeur	tour	stéthoscope	grue
vigneron	bijoutier	truelle	tire-ligne	soufflet
médecin	ajusteur	clé	pressoir	gouge
		poinçon	meule	mètre
				niveau

Écrire

Faire un compte rendu objectif

10 Rédigez un paragraphe qui rendra compte de façon la plus objective possible des conditions de travail des mineurs. Vous supprimerez tous les termes qui visent à dramatiser la situation.

Enquêter

11 Cherchez ce qu'est précisément le charbon. Connaissez-vous d'autres sources d'énergie? Quel est leur mode d'extraction?

12 a. Documentez-vous sur la mine: quelle température y règne? Quels gaz y trouve-t-on? Lesquels sont toxiques? Qu'est-ce que le grisou?

b. *La lampe du mineur*: comment était-elle faite du temps de Zola? Essayez de trouver les améliorations apportées au fil des temps aux lampes des mineurs (sécurité, efficacité…).

Les instruments et costumes: regardez les illustrations p. 19 et 33; décrivez l'« attirail » du mineur. Qu'est-ce que la « barrette »?

Extrait 6

« Veux-tu boire ? »

Catherine a guidé les premiers pas d'Étienne dans la mine et l'a initié au rude métier de *herscheur : il doit remplir de charbon des wagonnets et pousser cette masse de sept cents kilos. Ils se retrouvent à la pause. Elle lui fait partager son maigre repas.

– Veux-tu boire ? demanda Catherine qui débouchait sa gourde. Oh ! c'est du café, ça ne te fera pas de mal… On étouffe, quand on avale comme ça.

Mais il refusa : c'était bien assez de lui avoir pris la moitié
5 de son pain. Pourtant, elle insistait d'un air de bon cœur, elle finit par dire :

– Eh bien ! je bois avant toi, puisque tu es si poli… Seulement, tu ne peux plus refuser à présent, ce serait vilain.

Et elle lui tendit sa gourde. Elle s'était relevée sur les genoux,
10 il la voyait tout près de lui, éclairée par les deux lampes. Pourquoi donc l'avait-il trouvée laide ? Maintenant qu'elle était noire, la face poudrée de charbon fin, elle lui semblait d'un charme singulier. Dans ce visage envahi d'ombre, les dents de la bouche trop grande éclataient de blancheur, les yeux
15 s'élargissaient, luisaient avec un reflet verdâtre, pareils à des yeux de chatte. Une mèche des cheveux roux, qui s'était échappée du béguin, lui chatouillait l'oreille et la faisait rire. Elle ne paraissait plus si jeune, elle pouvait bien avoir quatorze ans tout de même.

20 – Pour te faire plaisir, dit-il, en buvant et en lui rendant la gourde.

Elle avala une seconde gorgée, le força à en prendre une aussi, voulant partager, disait-elle ; et ce goulot mince, qui allait d'une bouche à l'autre, les amusait. Lui, brusquement, s'était demandé
25 s'il ne devait pas la saisir dans ses bras, pour la baiser sur les

lèvres. Elle avait de grosses lèvres d'un rose pâle, avivées par le charbon, qui le tourmentaient d'une envie croissante. Mais il n'osait pas, intimidé devant elle, n'ayant eu à Lille que des filles, et de l'espèce la plus basse, ignorant comment on devait
30 s'y prendre avec une ouvrière encore dans sa famille.

– Tu dois avoir quatorze ans alors ? demanda-t-il, après s'être remis à son pain.

Elle s'étonna, se fâcha presque.

– Comment ! quatorze ! mais j'en ai quinze !… C'est vrai, je
35 ne suis pas grosse. Les filles, chez nous, ne poussent guère vite.

Il continua à la questionner, elle disait tout, sans effronterie ni honte. Du reste, elle n'ignorait rien de l'homme ni de la femme, bien qu'il la sentît vierge de corps, et vierge enfant, retardée dans la maturité de son sexe par le milieu de mauvais
40 air et de fatigue où elle vivait. Quand il revint sur la Mouquette, pour l'embarrasser, elle conta des histoires épouvantables, la voix paisible, très égayée. Ah ! celle-là en faisait de belles ! Et, comme il désirait savoir si elle-même n'avait pas d'amoureux, elle répondit en plaisantant qu'elle ne voulait pas contrarier
45 sa mère, mais que cela arriverait forcément un jour. Ses épaules étaient courbées, elle grelottait un peu dans le froid de ses vêtements trempés de sueur, la mine résignée et douce, prête à subir les choses et les hommes.

– C'est qu'on en trouve, des amoureux, quand on vit tous
50 ensemble, n'est-ce pas ?

– Bien sûr.

– Et puis, ça ne fait du mal à personne… On ne dit rien au curé.

– Oh ! le curé, je m'en fiche !… Mais il y a l'Homme noir.
55 – Comment, l'Homme noir ?

– Le vieux mineur qui revient dans la fosse et qui tord le cou aux vilaines filles.

Il la regardait, craignant qu'elle ne se moquât de lui.

– Tu crois à ces bêtises, tu ne sais donc rien ?

– Si fait, moi, je sais lire et écrire… Ça rend service chez nous, car du temps de papa et de maman, on n'apprenait pas.

Elle était décidément très gentille. Quand elle aurait fini sa tartine, il la prendrait et la baiserait sur ses grosses lèvres roses. C'était une résolution de timide, une pensée de violence qui étranglait sa voix. Ces vêtements de garçon, cette veste et cette culotte sur cette chair de fille, l'excitaient et le gênaient. Lui, avait avalé sa dernière bouchée. Il but à la gourde, la lui rendit pour qu'elle la vidât. Maintenant, le moment d'agir était venu, et il jetait un coup d'œil inquiet vers les mineurs, au fond, lorsqu'une ombre boucha la galerie.

Depuis un instant, Chaval, debout, les regardait de loin. Il s'avança, s'assura que Maheu ne pouvait le voir ; et, comme Catherine était restée à terre, sur son séant, il l'empoigna par les épaules, lui renversa la tête, lui écrasa la bouche sous un baiser brutal, tranquillement, en affectant de ne pas se préoccuper d'Étienne. Il y avait, dans ce baiser, une prise de possession, une sorte de décision jalouse.

Cependant, la jeune fille s'était révoltée.

– Laisse-moi, entends-tu !

Il lui maintenait la tête, il la regardait au fond des yeux. Ses moustaches et sa barbiche rouges flambaient dans son visage noir, au grand nez en bec d'aigle. Et il la lâcha enfin, et il s'en alla, sans dire un mot.

Un frisson avait glacé Étienne. C'était stupide d'avoir attendu. Certes, non, à présent, il ne l'embrasserait pas, car elle croirait peut-être qu'il voulait faire comme l'autre. Dans sa vanité blessée, il éprouvait un véritable désespoir.

– Pourquoi as-tu menti ? dit-il à voix basse. C'est ton amoureux.

– Mais non, je te jure, cria-t-elle. Il n'y a pas ça entre nous. Des fois, il veut rire… Même qu'il n'est pas d'ici, voilà six mois qu'il est arrivé du Pas-de-Calais.

Extrait de la première partie, chapitre IV.

Questions

Repérer et analyser

Les formes de discours et le mode de narration

1 Repérez, en les délimitant précisément, les passages narratifs et descriptifs. Résumez l'extrait en quelques lignes.

2 Repérez les passages aux styles direct, indirect, indirect libre.

a. À partir de ce relevé, montrez que la scène se déroule sur deux plans : les paroles et les pensées des personnages.

b. Retracez le cheminement intérieur des personnages en précisant les sentiments par lesquels ils passent successivement.

Le personnage de Catherine

3 Selon quel point de vue la description de Catherine est-elle faite ? Pour répondre, appuyez-vous sur le champ lexical du regard.

4 **a.** Relevez les mots et expressions qui caractérisent Catherine. Sur quels détails le narrateur met-il l'accent (détails physiques, comportement, traits de caractère) ?

b. Le portrait est-il séduisant ? Justifiez votre réponse.

Le nom des personnages

Zola choisissait avec soin les *noms* de ses *personnages* qui les définissent souvent physiquement et moralement.

5 À quels animaux le nom de Chaval fait-il penser ?

6 Relevez les mots et expressions qui caractérisent Chaval. À quel autre animal est-il comparé ?

7 Qualifiez le personnage de Chaval à l'aide d'un ou deux adjectifs.

8 En quoi Chaval est-il l'opposé d'Étienne (physique, attitude) ?

Le parcours du héros

La rencontre amoureuse

La scène de la *rencontre amoureuse* se retrouve dans la plupart des romans du XIXe siècle.

9 En quoi cette scène diffère-telle d'autres scènes de rencontre que vous avez pu lire ?

10 Zola note dans sa fiche-personnage d'Étienne : « Pourquoi n'a-t-il pas osé le premier, ce sera là tout le livre ».

a. À quelle ligne le lecteur comprend-il qu'Étienne est attiré par Catherine ? Qui prend l'initiative (paroles, gestes) ?

b. Repérez les deux passages où s'expriment le désir d'Étienne et son projet d'embrasser Catherine. Quelles expressions traduisent la naissance du sentiment amoureux ?

c. Relevez les marques des hésitations d'Étienne (gestes, pensées, expressions qui expriment la pudeur...).

11 Quel obstacle Étienne rencontre-t-il au début de son parcours amoureux ?

Les hypothèses de lecture

12 Que laisse prévoir la réaction de Chaval ? Quelles hypothèses formulez-vous pour la suite de l'action ?

13 Quelle était la quête d'Étienne avant sa rencontre avec Catherine ? Quelles seront désormais ses deux préoccupations qui constitueront le fil directeur de son parcours romanesque ?

Écrire

Changer de point de vue

14 Chaval raconte la scène à un camarade mineur, en faisant part de ses pensées et de ses sentiments.

15 Catherine raconte la scène à la Maheude.

16 Rédigez le portrait d'Étienne du point de vue de Catherine. Vous commencerez par : « Elle le voyait tout près d'elle... »

Comparer

17 Lisez d'autres scènes de rencontre amoureuse. Vous en trouverez dans *La Princesse de Clèves* (Mme de La Fayette, 1678), *Le Rouge et le Noir* (Stendhal, 1830), *Le Lys dans la vallée* (Balzac, 1830), *L'Éducation sentimentale* (Flaubert, 1869), *Le Grand Meaulnes* (Alain-Fournier, 1913).

Extrait 7

« C'était Bataille, le doyen de la mine »

Après dix heures de travail harassant, vient enfin le moment de la remontée. Étienne rencontre d'autres compagnons de travail, les chevaux, qui tirent les trains de *berlines. Ce jour-là justement, on descend un nouveau cheval.

Il y eut un arrêt pour la manœuvre des *cages, et la jeune fille[1] s'approcha de leur cheval, le caressa de la main, en parlant de lui à son compagnon. C'était Bataille, le doyen[2] de la mine, un cheval blanc qui avait dix ans de fond. Depuis dix ans, il
5 vivait dans ce trou, occupant le même coin de l'écurie, faisant la même tâche le long des galeries noires, sans avoir jamais revu le jour. Très gras, le poil luisant, l'air bonhomme, il semblait y couler une existence de sage, à l'abri des malheurs de là-haut. Du reste, dans les ténèbres, il était devenu d'une
10 grande malignité[3]. La voie où il travaillait avait fini par lui être si familière, qu'il poussait de la tête les portes d'*aérage, et qu'il se baissait, afin de ne pas se cogner, aux endroits trop bas. Sans doute aussi il comptait ses tours, car lorsqu'il avait fait le nombre réglementaire de voyages, il refusait d'en recom-
15 mencer un autre, on devait le reconduire à sa mangeoire. Maintenant, l'âge venait, ses yeux de chat se voilaient parfois d'une mélancolie. Peut-être revoyait-il vaguement, au fond de ses rêvasseries obscures, le moulin où il était né, près de Marchiennes, un moulin planté sur le bord de la Scarpe,

1. Catherine Maheu.
2. Le plus âgé des chevaux de la mine ; ce terme, d'ordinaire réservé aux humains, fait de Bataille un mineur à part entière.
3. Intelligence.

20 entouré de larges verdures, toujours éventé par le vent.
Quelque chose brûlait en l'air, une lampe énorme, dont le
souvenir exact échappait à sa mémoire de bête. Et il restait la
tête basse, tremblant sur ses vieux pieds, faisant d'inutiles
efforts pour se rappeler le soleil.

25   Cependant, les manœuvres continuaient dans le puits, le
marteau des signaux avait tapé quatre coups, on descendait
le cheval ; et c'était toujours une émotion, car il arrivait parfois
que la bête, saisie d'une telle épouvante, débarquait morte.
En haut, lié dans un filet, il se débattait éperdument[4] ; puis,
30 dès qu'il sentait le sol manquer sous lui, il restait comme
pétrifié[5], il disparaissait sans un frémissement de la peau, l'œil
agrandi et fixe. Celui-ci était trop gros pour passer entre les
guides, on avait dû, en l'accrochant au-dessous de la cage,
lui rabattre et lui attacher la tête sur le flanc.

35   La descente dura près de trois minutes, on ralentissait la
machine par précaution. Aussi, en bas, l'émotion grandissait-
elle. Quoi donc ? est-ce qu'on allait le laisser en route, pendu
dans le noir ? Enfin, il parut, avec son immobilité de pierre,
son œil fixe, dilaté de terreur. C'était un cheval bai[6], de trois
40 ans à peine, nommé Trompette.

      – Attention ! criait le père Mouque[7], chargé de le recevoir.
Amenez-le, ne le détachez pas encore.

      Bientôt, Trompette fut couché sur les dalles de fonte, comme
une masse. Il ne bougeait toujours pas, il semblait dans le
45 cauchemar de ce trou obscur, infini, de cette salle profonde,
retentissante de vacarme. On commençait à le délier, lorsque
Bataille, dételé depuis un instant, s'approcha, allongea le cou
pour flairer ce compagnon, qui tombait ainsi de la terre. Les
ouvriers élargirent le cercle en plaisantant. Eh bien, quelle
50 bonne odeur lui trouvait-il ? Mais Bataille s'animait, sourd

---

4. Comme affolé.   **6.** D'un brun rouge.
5. Transformé en pierre.   **7.** Le vieux gardien de l'écurie.

aux moqueries. Il lui trouvait sans doute la bonne odeur du grand air, l'odeur oubliée du soleil dans les herbes. Et il éclata tout à coup d'un hennissement sonore, d'une musique d'allégresse, où il semblait y avoir l'attendrissement d'un sanglot.
55 C'était la bienvenue, la joie de ces choses anciennes dont une bouffée lui arrivait, la mélancolie de ce prisonnier de plus qui ne remonterait que mort.

– Ah ! Cet animal de Bataille ! criaient les ouvriers, égayés par ces farces de leur favori. Le voilà qui cause avec le cama-
60 rade.

Trompette, délié, ne bougeait toujours pas. Il demeurait sur le flanc, comme s'il eût continué à sentir le filet l'étreindre, garrotté par la peur. Enfin, on le mit debout d'un coup de fouet, étourdi, les membres secoués d'un grand frisson. Et le
65 père Mouque emmena les deux bêtes qui fraternisaient.

Extrait de la première partie, chapitre V.

Cheval au travail dans une mine de charbon.

Repérer et analyser

Deux personnages : Bataille et Trompette

> Pour Zola, hommes et bêtes endurent les mêmes souffrances. On note que dans l'ébauche de son roman, il a placé cet épisode des chevaux dans la « présentation des *personnages* ».

1 a. Relevez des expressions qui caractérisent le cheval Bataille mais qui pourraient s'appliquer à des êtres humains (âge, « caractère », intelligence, sentiments).

b. Quelle est la figure de style utilisée ?

c. « Ses rêvasseries obscures » (l. 18) : quels peuvent être les deux sens de l'adjectif « obscures » ?

2 Relevez les procédés de style (répétitions, longueur et rythme des phrases) par lesquels le narrateur insiste sur la monotonie du travail de Bataille, son ancienneté au sein de la mine.

3 Relisez l'extrait 3 (p. 22) et cherchez ce qui rapproche Bonnemort et Bataille.

4 En quoi l'aspect physique de Bataille contraste-t-il avec celui des mineurs ?

5 Quelles sont les différentes phases de la descente de Trompette ? Relevez les termes qui traduisent son épouvante.

6 a. « Ce compagnon, qui tombait ainsi de la terre » (l. 48) : expliquez cette expression. Sur quelle expression est-elle calquée ?

b. Que représente Trompette pour Bataille ? Citez le texte.

7 Quelles expressions vous semblent prémonitoires quant au sort de Trompette dans la suite du roman ?

La construction du roman : les scènes en écho

La première descente de Trompette ressemble à celle d'Étienne Lantier au puits (première partie, chapitre III).

En voici quelques extraits :

« Il se trouvait devant le puits, au milieu de la vaste salle, balayée de courants d'air. Certes, il se croyait brave, et pourtant une émotion désagréable le serrait à la gorge, dans le tonnerre des berlines, les coups sourds des signaux, le beuglement étouffé du porte-voix,

en face du vol continu de ces câbles déroulés et enroulés à toute vapeur par les bobines de la machine. […] C'était son tour maintenant, il avait très froid, il gardait un silence nerveux […]. Enfin, une secousse l'ébranla, et tout sombra ; les objets autour de lui s'envolèrent, tandis qu'il éprouvait un vertige anxieux de cette chute, qui lui tirait les entrailles. Cela dura tant qu'il fut au jour, franchissant les deux étages des recettes, au milieu de la fuite tournoyante des charpentes. Puis, tombé dans le noir de la fosse, il resta étourdi, n'ayant plus la perception de ses sensations. […]
Cette chute devait durer depuis des heures. Il souffrait de la fausse position qu'il avait prise, n'osant bouger, torturé surtout par le coude de Catherine. Elle ne prononçait pas un mot, il la sentait seulement contre lui, qui le réchauffait […] »

8 Relevez dans l'extrait ci-dessus et l'extrait 7, sur deux colonnes, les expressions et les détails qui montrent que Trompette et Lantier, à leur arrivée à la mine, subissent les mêmes émotions, les mêmes souffrances et qu'ils trouvent tous les deux un compagnon.

La visée

9 Dans l'extrait 5 (p. 36), Zola assimile les mineurs à des animaux ; ici, il personnifie les animaux : par ces procédés, que dénonce-t-il selon vous ?

Enquêter

Les animaux au travail

10 Quelles activités confie-t-on aux animaux ? Quelles tâches pouvaient-ils effectuer autrefois qu'ils n'exercent plus aujourd'hui ?

11 Avez-vous déjà vu une bête au travail ? Décrivez-la en vous efforçant de la « comprendre », comme Zola comprend Bataille.

Comparer

12 Voici un poème de Paul Fort (1872-1960) qui décrit aussi un cheval au travail. Comparez-le au texte de Zola. Écoutez-le chanté par Georges Brassens.

Le petit cheval

Le p'tit ch'val dans le mauvais temps
Qu'il avait donc du courage !
C'était un petit cheval blanc
Tous derrière, tous derrière
5　C'était un petit cheval blanc
Tous derrière et lui devant !

Il n'y avait jamais d'beau temps
Dans ce pauvre paysage !
Il n'y avait jamais d'printemps
10　Ni derrière, ni derrière,
Il n'y avait jamais d'printemps
Ni derrière, ni devant !

Mais toujours il était content
Menant les gars du village
15　À travers la pluie noire des champs
Tous derrière, tous derrière,
À travers la pluie noire des champs
Tous derrière et lui devant !

Sa voiture allait poursuivant
20　Sa bell'petit'queue sauvage
C'est alors qu'il était content
Tous derrière, tous derrière,
C'est alors qu'il était content
Tous derrière et lui devant !

25　Mais un jour dans le mauvais temps,
Un jour qu'il était si sage
Il est mort par un éclair blanc
Tous derrière, tous derrière,
Il est mort par un éclair blanc
30　Tous derrière et lui devant !

Il est mort sans voir le beau temps
Qu'il avait donc du courage !
Il est mort sans voir le printemps
Ni derrière, ni derrière,
35　Il est mort sans voir le printemps
Ni derrière, ni devant.

Ballades françaises (1984), Flammarion.

a. Quelles expressions peuvent faire penser que ce petit cheval « travaille » dans une mine, comme Bataille ? À quoi peut faire allusion, selon vous, l'« éclair blanc » mentionné dans la strophe 5 ?

b. Comparez ce petit cheval et Bataille : qu'est-ce qui les rapproche ? Qu'est-ce qui les différencie ?

c. Quels sont les sentiments du poète à l'égard de ce petit cheval ? Quels indices dans le texte vous ont permis de répondre ?

Extrait 8

« Le reste de la brioche »

Maheu s'est pris d'amitié pour Étienne et réussit à lui trouver un logement. Le jeune homme hésite à rester, puis accepte.

Pendant que les mineurs peinent sous terre, la Maheude vit aussi de rudes journées. Comment faire vivre toute cette famille quand il ne reste plus un sou et que l'épicier Maigrat leur refuse tout crédit ? Elle se résigne à demander la charité à de riches rentiers, les Grégoire, qui habitent, avec leur fille Cécile, une vaste propriété, La Piolaine, à deux kilomètres de Montsou. Le chemin est rude pour la malheureuse, accompagnée de ses deux enfants, Lénore et Henri.

– Porte-moi, maman.

Elle les porta l'un après l'autre. Des flaques trouaient la chaussée, elle se retroussait[1], avec la peur d'arriver trop sale. Trois fois, elle faillit tomber, tant ce sacré pavé était gras. Et, comme ils débouchaient enfin devant le perron, deux chiens énormes se jetèrent sur eux en aboyant si fort que les petits hurlaient de peur. Il avait fallu que le cocher prît un fouet.

– Laissez vos sabots, entrez, répétait Honorine[2].

Dans la salle à manger, la mère et les enfants se tinrent immobiles, étourdis par la brusque chaleur, très gênés des regards de ce vieux monsieur et de cette vieille dame, qui s'allongeaient dans leurs fauteuils.

– Ma fille, dit cette dernière, remplis ton petit office.

Les Grégoire chargeaient Cécile de leurs aumônes. Cela rentrait dans leur idée d'une telle éducation. Il fallait être charitable, ils disaient eux-mêmes que leur maison était la maison

---

| 1. Elle retroussait ses jupes. | 2. Une des servantes des Grégoire.

du bon Dieu. Du reste, ils se flattaient de faire la charité avec
intelligence, travaillés[3] de la continuelle crainte d'être trompés
et d'encourager le vice. Ainsi, ils ne donnaient jamais d'argent,
20 jamais ! Pas dix sous, pas deux sous, car c'était un fait connu,
dès qu'un pauvre avait deux sous, il les buvait. Leurs aumônes
étaient donc toujours en nature, surtout en vêtements chauds,
distribués pendant l'hiver aux enfants indigents[4].

– Oh ! les pauvres mignons ! s'écria Cécile, sont-ils pâlots
25 d'être allés au froid !… Honorine, va donc chercher le paquet,
dans l'armoire.

Les bonnes, elles aussi, regardaient ces misérables, avec l'api-
toiement et la pointe d'inquiétude de filles qui n'étaient pas
en peine de leur dîner. Pendant que la femme de chambre
30 montait, la cuisinière s'oubliait, reposait le reste de la brioche
sur la table, pour demeurer là, les mains ballantes.

– Justement, continuait Cécile, j'ai encore deux robes de
laine et des fichus… Vous allez voir, ils auront chaud, les
pauvres mignons !

35 La Maheude, alors, retrouva sa langue, bégayant :

– Merci bien, mademoiselle… vous êtes tous bien bons…

Des larmes lui avaient empli les yeux, elle se croyait sûre des
cent sous, elle se préoccupait seulement de la façon dont elle
les demanderait, si on ne les lui offrait pas. La femme de
40 chambre ne reparaissait plus, il y eut un moment de silence
embarrassé. Dans les jupes de leur mère, les petits ouvraient
de grands yeux et contemplaient la brioche.

– Vous n'avez que ces deux-là ? demanda Mme Grégoire,
pour rompre le silence.

45 – Oh ! Madame, j'en ai sept.

M. Grégoire, qui s'était remis à lire son journal, eut un
sursaut indigné.

| **3.** Tourmentés. | **4.** Pauvres.

– Sept enfants, mais pourquoi ? bon Dieu !

– C'est imprudent, murmura la vieille dame.

50 La Maheude eut un geste vague d'excuse. Que voulez-vous ? On n'y songeait point, ça poussait naturellement. Et puis, quand ça grandissait, ça rapportait, ça faisait aller la maison. Ainsi, chez eux, ils auraient vécu, s'ils n'avaient pas eu le grand-père qui devenait tout raide, et si, dans le tas, deux de ses garçons

55 et sa fille aînée seulement avaient l'âge de descendre à la *fosse. Fallait quand même nourrir les petits qui ne fichaient rien.

– Alors, reprit Mme Grégoire, vous travaillez depuis long-temps aux mines ?

Un rire muet éclaira le visage blême[5] de la Maheude.

60 – Ah ! oui, ah ! oui… Moi, je suis descendue jusqu'à vingt ans. Le médecin a dit que j'y resterais, lorsque j'ai accouché la seconde fois, parce que, paraît-il, ça me dérangeait des choses dans les os. D'ailleurs, c'est à ce moment que je me suis mariée, et j'avais assez de besogne à la maison… Mais, du côté de mon

65 mari, voyez-vous, ils sont là-dedans depuis des éternités. Ça remonte au grand-père du grand-père, enfin on ne sait pas, tout au commencement, quand on a donné le premier coup de pioche là-bas, à Réquillart.

Rêveur, M. Grégoire regardait cette femme et ces enfants

70 pitoyables, avec leur chair de cire, leurs cheveux décolorés, la dégénérescence[6] qui les rapetissait, rongés d'anémie[7], d'une laideur triste de meurt-de-faim. Un nouveau silence s'était fait, on n'entendait plus que la houille brûler en lâchant un jet de gaz. La salle moite avait cet air alourdi de bien-être, dont s'en-

75 dorment les coins de bonheur bourgeois.

– Que fait-elle donc ? s'écria Cécile, impatientée. Mélanie, monte lui dire que le paquet est en bas de l'armoire, à gauche.

---

5. Pâle.
6. Perte des qualités physiques et morales qui caractérisent une race.
7. Appauvrissement du sang.

Cependant, M. Grégoire acheva tout haut les réflexions que lui inspirait la vue de ces affamés.

80 — On a du mal en ce monde, c'est bien vrai ; mais, ma brave femme, il faut dire aussi que les ouvriers ne sont guère sages… Ainsi, au lieu de mettre des sous de côté comme nos paysans, les mineurs boivent, font des dettes, finissent par n'avoir plus de quoi nourrir leur famille.

85 — Monsieur a raison, répondit posément la Maheude. On n'est pas toujours dans la bonne route. C'est ce que je répète aux vauriens, quand ils se plaignent. Moi, je suis bien tombée, mon mari ne boit pas. Tout de même, les dimanches de noce, il en prend des fois de trop ; mais ça ne va jamais plus loin.

90 La chose est d'autant plus gentille de sa part, qu'avant notre mariage, il buvait en vrai cochon, sauf votre respect… Et voyez, pourtant, ça ne nous avance pas à grand-chose, qu'il soit raisonnable. Il y a des jours, comme aujourd'hui, où vous retourneriez bien tous les tiroirs de la maison, sans en faire

95 tomber un liard.

Elle voulait leur donner l'idée de la pièce de cent sous, elle continua de sa voix molle, expliquant la dette fatale[8], timide d'abord, bientôt élargie et dévorante. On payait régulièrement pendant des quinzaines. Mais un jour, on se mettait en retard,

100 et c'était fini, ça ne se rattrapait jamais plus. Le trou se creusait, les hommes se dégoûtaient du travail, qui ne leur permettait seulement pas de s'acquitter. Va te faire fiche ! On était dans le pétrin jusqu'à la mort. Du reste, il fallait tout comprendre : un charbonnier avait besoin d'une chope[9] pour

105 balayer les poussières. Ça commençait par là, puis il ne sortait plus du cabaret, quand arrivaient les embêtements. Peut-être bien, sans se plaindre de personne, que les ouvriers tout de même ne gagnaient point assez.

| **8.** Qui causerait leur perte. | **9.** Verre de bière.

– Je croyais, dit Mme Grégoire, que la Compagnie vous
110 donnait le loyer et le chauffage.

La Maheude eut un coup d'œil oblique sur la houille flambante de la cheminée.

– Oui, oui, on nous donne du charbon, pas trop fameux,
mais qui brûle pourtant… Quant au loyer, il n'est que de six
115 francs par mois : ça n'a l'air de rien, et souvent c'est joliment
dur à payer… Ainsi, aujourd'hui, moi, on me couperait en
morceaux, qu'on ne me tirerait pas deux sous. Où il n'y a rien,
il n'y a rien.

Le monsieur et la dame se taisaient, douillettement allongés,
120 peu à peu ennuyés et pris de malaise, devant l'étalage de cette
misère. Elle craignit de les avoir blessés, elle ajouta de son air
juste et calme de femme pratique :

– Oh ! ce n'est pas pour me plaindre. Les choses sont ainsi,
il faut les accepter ; d'autant plus que nous aurions beau nous
125 débattre, nous ne changerions sans doute rien… Le mieux
encore, n'est-ce pas ? monsieur et madame, c'est de tâcher de
faire honnêtement ses affaires, dans l'endroit où le bon Dieu
vous a mis.

M. Grégoire l'approuva beaucoup.

130 – Avec de tels sentiments, ma brave femme, on est au-dessus
de l'infortune[10].

Honorine et Mélanie apportaient enfin le paquet. Ce fut
Cécile qui le déballa et sortit les deux robes. Elle y joignit des
fichus, même des bas et des mitaines. Tout cela irait à merveille,
135 elle se hâtait, faisait envelopper par les bonnes les vêtements
choisis ; car sa maîtresse de piano venait d'arriver, et elle poussait la mère et les enfants vers la porte.

– Nous sommes bien à court, bégaya la Maheude, si nous
avions une pièce de cent sous seulement…

10. Malheur.

140 La phrase s'étrangla, car les Maheu étaient fiers et ne mendiaient point. Cécile inquiète, regarda son père ; mais celui-ci
refusa nettement, d'un air de devoir.

– Non, ce n'est pas dans nos habitudes. Nous ne pouvons
pas.

145 Alors la jeune fille, émue de la figure bouleversée de la mère,
voulut combler les enfants. Ils regardaient toujours fixement
la brioche, elle en coupa deux parts, qu'elle leur distribua.

– Tenez ! c'est pour vous.

Puis, elle les reprit, demanda un vieux journal.

150 – Attendez, vous partagerez avec vos frères et vos sœurs.

Et, sous les regards attendris de ses parents, elle acheva de
les pousser dehors. Les pauvres mioches, qui n'avaient pas
de pain, s'en allèrent, en tenant cette brioche respectueuse-
ment dans leurs menottes gourdes[11] de froid.

Extrait de la deuxième partie, chapitre II.

| **11.** Voir la note 5, p. 11.

Questions

Repérer et analyser

Le point de vue

1 **a.** Relevez les mots et expressions qui désignent les enfants Maheu et précisez le point de vue adopté (voir p. 13).
b. En quoi ces différentes désignations sont-elles révélatrices du regard porté par chacun sur ces enfants ?

La construction du roman : l'antithèse

> L'*antithèse* est une figure de style qui consiste à opposer deux mots ou expressions, sentiments, personnages… *Germinal* est construit à partir d'une série d'oppositions concernant notamment les conditions de vie des mineurs et celles des bourgeois.

2 **a.** En quoi la désignation des personnages reflète-t-elle leur appartenance sociale ? Pour répondre, relevez les termes par lesquels sont désignés les bourgeois et les mineurs.
b. Relevez dans le texte p. 52 et l'extrait suivant les détails qui soulignent l'opposition de deux mondes, celui des Maheu et celui des Grégoire (physique, attitudes, langage, habitat, espace vital…) :

« Chez les Maheu, au numéro 16 du deuxième corps, rien ne bougeait. Des ténèbres épaisses noyaient l'unique chambre du premier étage, comme écrasant de leur poids le sommeil des êtres que l'on sentait là, en tas, la bouche ouverte, assommés de fatigue. […] Maintenant, la chandelle éclairait la chambre, carrée, à deux fenêtres, que trois lits emplissaient. Il y avait une armoire, une table, deux chaises de vieux noyer, dont le ton fumeux tachait durement les murs, peints en jaune clair. Et rien autre, des hardes pendues à des clous, une cruche posée sur le carreau, près d'une terrine rouge servant de cuvette. » (Première partie, chapitre II)

Les personnages

Les Grégoire, une famille de bourgeois

3 Quelle conception les Grégoire ont-ils de la charité (l. 17 à 19) ?
4 Quels reproches les Grégoire font-ils aux mineurs ? Donnez des exemples précis.

5 Sur quel ton parlent-ils à la Maheude ? Citez le texte.

6 **a.** En quoi Cécile diffère-t-elle un peu de ses parents ?

b. « Elle en coupa deux parts » (l. 147) : que penser du geste de Cécile ?

La Maheude, un modèle de femme de mineur

7 Relevez dans les paroles de la Maheude (rapportées directement ou indirectement) quelques termes populaires, quelques images et tournures grammaticales pittoresques.

8 « Les Maheu étaient fiers et ne mendiaient point » (l. 140-141) : montrez, en citant le texte, que la Maheude ne vient pas chez les Grégoire en mendiante, mais qu'elle reste « fière ».

9 Quels arguments utilise-t-elle pour répondre aux questions des Grégoire et se justifier ?

10 Citez le passage dans lequel elle expose sa conception de la vie. Obtient-elle l'approbation des Grégoire ?

11 Quels personnages ont le dessus au début et à la fin de l'extrait ?

La visée

12 Dans cet extrait, le narrateur cherche à émouvoir et à dénoncer.

a. Relevez les passages et expressions particulièrement émouvants. Quels sont, à la fin, les procédés utilisés pour toucher le lecteur ?

b. Qui Zola dénonce-t-il ? Que dénonce-t-il ?

Écrire

Exercice de réécriture

13 Transposez au discours direct les passages écrits au discours indirect libre (l. 50 à 56 et l. 98 à 108).

Débattre

14 Aimeriez-vous vivre sans travailler ? Justifiez votre réponse.

15 Voltaire a écrit : « Le travail éloigne de nous trois grands maux : l'ennui, le vice et le besoin » (*Candide*). Mais on trouve aussi dans une chanson : « Le travail, c'est la santé. Rien faire, c'est la conserver. » Qui vous semble avoir raison ? Argumentez à l'aide d'exemples.

Extrait 9

« C'était la vie, après la sortie de la fosse »

*Heureusement, l'épicier cède aux nouvelles supplications de la Maheude et consent un dernier crédit. Au *coron, la vie continue avec ses commérages. Après sa journée exténuante, Maheu connaît quelques instants heureux : un repas frugal, un bain, un après-midi de jardinage.*

Alors, le Maheu et la Maheude restèrent seuls. Celle-ci s'était décidée à poser sur une chaise Estelle, qui, par miracle, se trouvant bien près du feu, ne hurlait pas et tournait vers ses parents des yeux vagues de petit être sans pensée. Lui, tout nu, accroupi

5 devant le baquet, y avait d'abord plongé sa tête, frottée de ce savon noir dont l'usage séculaire[1] décolore et jaunit les cheveux de la race. Ensuite, il entra dans l'eau, s'enduisit la poitrine, le ventre, les bras, les cuisses, se les racla énergiquement des deux poings. Debout, sa femme le regardait. […]

10 Mais, comme à l'ordinaire, elle venait de retrousser ses manches, pour lui laver le dos et les parties qu'il lui était mal commode d'atteindre. D'ailleurs, il aimait qu'elle le savonnât, qu'elle le frottât partout, à se casser les poignets. Elle prit du savon, elle lui laboura les épaules, tandis qu'il se raidissait,

15 afin de tenir le coup. […]

Du dos, elle était descendue aux fesses ; et lancée, elle poussait ailleurs, dans les plis, ne laissant pas une place du corps sans y passer, le faisant reluire comme ses trois casseroles, les samedis de grand nettoyage. Seulement, elle suait à ce terrible

| **1.** Qui dure depuis des siècles.

20 va-et-vient des bras, toute secouée elle-même, si essoufflée, que ses paroles s'étranglaient. [...]

Maintenant, elle l'essuyait, le tamponnait avec un torchon, aux endroits où ça ne voulait pas sécher. Lui, heureux, sans songer au lendemain de la dette, éclatait d'un gros rire et l'em-
25 poignait à pleins bras.

– Laisse donc, bête ! Tu es trempé, tu me mouilles... [...]

Il l'empoigna de nouveau, et cette fois ne la lâcha plus. Toujours le bain finissait ainsi, elle le ragaillardissait à le frotter si fort, puis à lui passer partout des linges, qui lui chatouillaient
30 les poils des bras et de la poitrine. D'ailleurs, c'était également chez les camarades du coron l'heure des bêtises, où l'on plantait plus d'enfants qu'on n'en voulait. La nuit, on avait sur le dos la famille. Il la poussait vers la table, goguenardant en brave homme qui jouit du seul bon moment de la journée,
35 appelant ça prendre son dessert, et un dessert qui ne coûtait rien. Elle, avec sa taille et sa gorge roulantes, se débattait un peu, pour rire.

– Es-tu bête, mon Dieu ! es-tu bête !... Et Estelle qui nous regarde ! attends que je lui tourne la tête.
40 – Ah ! ouiche ! à trois mois, est-ce que ça comprend ?

Lorsqu'il se fut relevé, Maheu passa simplement une culotte sèche. Son plaisir, quand il était propre et qu'il avait rigolé avec sa femme, était de rester un moment le torse nu. Sur sa peau blanche, d'une blancheur de fille anémique[2], les éraflures,
45 les entailles du charbon, laissaient des tatouages, des « greffes », comme disent les mineurs ; il s'en montrait fier, il étalait ses gros bras, sa poitrine large, d'un luisant de marbre veiné de bleu. En été, tous les mineurs se mettaient ainsi sur les portes. Il y alla même un instant, malgré le temps humide, cria un mot
50 salé à son camarade, le poitrail également nu, au-delà des

| **2.** Voir la note 7, p. 54.

jardins. D'autres parurent. Et les enfants, qui traînaient sur les trottoirs, levaient la tête, riaient eux aussi à la joie de toute cette chair lasse de travailleurs, mise au grand air. [...]

Maheu, l'après-midi, travailla dans son jardin. Déjà il y
55 avait semé des pommes de terre, des haricots, des pois; et il tenait en jauge[3], depuis la veille, du plant de choux et de laitue, qu'il se mit à repiquer. Ce coin de jardin les fournissait de légumes, sauf de pommes de terre, dont ils n'avaient jamais assez. Du reste, lui s'entendait très bien à la culture, et obte-
60 nait même des artichauts, ce qui était traité de pose par les voisins. Comme il préparait sa planche, Levaque[4] justement vint fumer une pipe dans son carré à lui, en regardant des romaines que Bouteloup[4] avait plantées le matin; car, sans le courage du logeur[5] à bêcher, il n'aurait guère poussé là que
65 des orties. Et la conversation s'engagea par-dessus le treillage. Levaque, délassé et excité d'avoir tapé sur sa femme, tâcha vainement d'entraîner Maheu chez Rasseneur[6]. Voyons, est-ce qu'une chope l'effrayait? On ferait une partie de quilles, on flânerait un instant avec les camarades, puis on rentrerait
70 dîner. C'était la vie, après la sortie de la fosse. Sans doute il n'y avait pas de mal à cela, mais Maheu s'entêtait, s'il ne repiquait pas ses laitues, elles seraient fanées le lendemain. Au fond, il refusait par sagesse, ne voulant point demander un liard à sa femme sur le reste des cent sous.

Extrait de la deuxième partie, chapitre IV.

---

3. Carré de terre labouré où l'on conserve provisoirement de jeunes plants.
4. Compagnons de mine de Maheu.
5. Locataire.
6. Cabaretier du coron.

Repérer et analyser

Le cadre spatio-temporel

1 Dans quel lieu cette scène se déroule-t-elle? À quel moment de la journée? Appuyez-vous sur des indices du texte.

Le rythme de la narration

2 En quoi ce passage constitue-t-il une pause dans l'action?

3 À quels indices (expressions, temps verbaux) voit-on que cette scène est quotidienne?

Le personnage de Maheu

4 À quel autre type de mineur le narrateur oppose-t-il Maheu? Qu'est-ce qui les différencie?

5 Définissez le caractère de Maheu d'après cet extrait.

Le roman naturaliste

L'intimité des mineurs, le thème du corps

> Le romancier naturaliste peint la réalité sous tous ses aspects et traite l'humain dans toutes ses dimensions. C'est pourquoi le thème du corps humain et de la sexualité sont des motifs que l'on retrouve souvent dans les romans naturalistes.

6 **a.** Quelles sont les différentes activités et distractions des mineurs après le travail?

b. Pourquoi le bain prend-il une telle importance? Relevez le champ lexical du corps et de la nudité.

7 Relevez les mots et expressions qui expriment le bonheur de la détente.

L'originalité du naturalisme de Zola

De la réalité au symbole

8 **a.** Il semble que le mineur veuille «se laver» de son travail et oublier tout de la mine: quelles expressions soulignent l'énergie des Maheu dans cette toilette?

b. Quels détails suggèrent que la mine reste toujours présente ? Citez précisément le texte.

9 Pourquoi Maheu se plaît-il tant parmi le monde végétal, à cultiver son jardin (pensez au monde dans lequel il vit la plupart du temps) ?

Comparer

10 Relisez l'extrait 5 (p. 36) : comparez-le à celui-ci, en dégageant les principales différences (atmosphère, attitudes des personnages, couleurs, bruits, types de phrases utilisés par Zola…). Montrez que, d'un texte à l'autre, Maheu n'est plus une bête, mais un homme.

Lire l'image

11 Observez le document photographique ci-dessous. Quels éléments du texte y retrouvez-vous ?

Retour de la mine.

Extrait 10

« On dansait »

*Plusieurs mois ont passé. Étienne s'est habitué à son nouveau
travail. Ses compagnons l'ont adopté et l'apprécient. Mais lui
ne se résigne pas à cette vie de plus en plus misérable, sans
avenir : quelque peu instruit, il réfléchit, lit, correspond avec
un ouvrier membre de l'Internationale socialiste[1] qui vient de
se créer ; peu à peu germe en lui l'idée « qu'un jour, il faudra
que ça pète ». Dans cette existence monotone, les rares fêtes,
comme la Ducasse[2] de juillet, sont l'occasion de tout oublier.*

Depuis cinq grandes heures, la *herscheuse et son galant[3]
se promenaient à travers la ducasse. C'était le long de la route
de Montsou, de cette large rue aux maisons basses et pein-
turlurées, dévalant en lacet, un flot de peuple qui roulait sous
le soleil, pareil à une traînée de fourmis, perdues dans la nudité
rase de la plaine. L'éternelle boue noire avait séché, une poussière noire montait, volait ainsi qu'une nuée d'orage. Aux deux
bords, les cabarets crevaient de monde, rallongeaient leurs
tables jusqu'au pavé, où stationnait un double rang de camelots, des bazars en plein vent, des fichus et des miroirs pour
les filles, des couteaux et des casquettes pour les garçons, sans
compter les douceurs, des dragées et des biscuits. Devant
l'église, on tirait à l'arc. Il y avait deux jeux de boules, en
face des Chantiers. Au coin de la route de Joiselle, à côté de
la Régie, dans un enclos de planches, on se ruait à un combat
de coqs, deux grands coqs rouges, armés d'éperons de fer, dont
la gorge ouverte saignait. Plus loin, chez Maigrat, on gagnait

5

10

15

1. Association d'ouvriers de diverses nations, unis pour faire aboutir
leurs revendications. La première Internationale fut fondée à Londres en 1864.
2. Fête patronale d'origine belge. **3.** Catherine et Chaval.

des tabliers et des culottes, au billard. Et il se faisait de longs silences, la cohue buvait, s'empiffrait sans un cri, une muette
20 indigestion de bière et de pommes de terre frites s'élargissait, dans la grosse chaleur, que les poêles de friture, bouillant en plein air, augmentaient encore.

Chaval acheta un miroir de dix-neuf sous et un fichu de trois francs à Catherine. [...]

25 Alors, en arrivant devant le débit[4] de la Tête-Coupée, Chaval eut l'idée d'y faire entrer son amoureuse, pour assister à un concours de pinsons, affiché sur la porte depuis huit jours. Quinze cloutiers[5], des clouteries de Marchiennes, s'étaient rendus à l'appel, chacun avec une douzaine de cages ; et les
30 petites cages obscures, où les pinsons aveuglés restaient immobiles, se trouvaient déjà accrochées à une palissade, dans la cour du cabaret. Il s'agissait de compter celui qui pendant une heure répéterait le plus de fois la phrase[6] de son chant. Chaque cloutier, avec une ardoise, se tenait derrière ces cages,
35 marquant, surveillant ses voisins, surveillé lui-même. Et les pinsons étaient partis, les « chichoüïeux » au chant plus gras, les « batisecouics » d'une sonorité aiguë, tout d'abord timides, ne risquant que de rares phrases, puis s'excitant les uns les autres, pressant le rythme, puis emportés enfin d'une telle rage
40 d'émulation[7], qu'on en voyait tomber et mourir. Violemment, les cloutiers les fouettaient de la voix, leur criaient en wallon[8] de chanter encore, encore, encore un petit coup, tandis que les spectateurs, une centaine de personnes, demeuraient muets, passionnés, au milieu de cette musique infernale de cent quatre-
45 vingts pinsons répétant tous la même cadence à contretemps. Ce fut un « batisecouic » qui gagna le premier prix, une cafetière en fer battu. [...]

---

4. Cabaret.
5. Ouvriers qui travaillent dans une fabrique de clous.

6. Mélodie.
7. Désir de surpasser les autres.
8. Dialecte français parlé en Belgique.

Les soirs de ducasse, on terminait la fête au bal du Bon-Joyeux. C'était la veuve Désir qui tenait ce bal, une forte mère
50 de cinquante ans, d'une rotondité de tonneau. [...]

Elle appelait tous les charbonniers ses enfants, attendrie à l'idée du fleuve de bière qu'elle leur versait depuis trente années. [...]

Le Bon-Joyeux se composait de deux salles : le cabaret, où
55 se trouvaient le comptoir et des tables ; puis, communiquant de plain-pied par une large baie, le bal, vaste pièce planchéiée au milieu seulement, dallée de briques autour. Une décoration l'ornait, deux guirlandes de fleurs en papier qui se croisaient d'un angle à l'autre du plafond, et que réunissait, au centre,
60 une couronne des mêmes fleurs ; tandis que, le long des murs, s'alignaient des écussons dorés, portant des noms de saints, saint Éloi, patron des ouvriers du fer, saint Crépin, patron des cordonniers, sainte Barbe, patronne des mineurs, tout le calendrier des corporations[9]. Le plafond était si bas, que les trois
65 musiciens, dans leur tribune, grande comme une chaire[10] à prêcher, s'écrasaient la tête. Pour éclairer, le soir, on accrochait quatre lampes à pétrole, aux quatre coins du bal.

Ce dimanche-là, dès cinq heures, on dansait, au plein jour des fenêtres. Mais ce fut vers sept heures que les salles s'empli-
70 rent. Dehors, un vent d'orage s'était levé, soufflant de grandes poussières noires, qui aveuglaient le monde et grésillaient dans les poêles de friture. Maheu, Étienne et Pierron, entrés pour s'asseoir, venaient de retrouver au Bon-Joyeux Chaval, dansant avec Catherine, tandis que Philomène[11], toute seule,
75 les regardait. Ni Levaque, ni Zacharie n'avaient reparu. Comme il n'y avait pas de bancs autour du bal, Catherine, après chaque danse, se reposait à la table de son père.

9. Ensemble de personnes qui exercent la même profession.
10. Tribune du haut de laquelle le prêtre prononce son sermon.
11. Fiancée de Zacharie.

On appela Philomène, mais elle était mieux debout. Le jour tombait, les trois musiciens faisaient rage, on ne voyait plus,
80 dans la salle, que le remuement des hanches et des gorges, au milieu d'une confusion de bras. Un vacarme accueillit les quatre lampes, et brusquement tout s'éclaira, les faces rouges, les cheveux dépeignés, collés à la peau, les jupes volantes, balayant l'odeur forte des couples en sueur. Maheu montra
85 à Étienne la Mouquette[12] qui, ronde et grasse comme une vessie de saindoux, tournait violemment aux bras d'un grand *moulineur maigre : elle avait dû se consoler et prendre un homme.

Enfin, il était huit heures, lorsque la Maheude parut, ayant
90 au sein Estelle et suivie de sa marmaille, Alzire, Henri et Lénore. Elle venait tout droit retrouver là son homme, sans craindre de se tromper. On souperait plus tard, personne n'avait faim, l'estomac noyé de café, épaissi de bière.

Extrait de la troisième partie, chapitre II.

Extrait du film *Germinal* (1993) de Claude Berri avec Gérard Depardieu.

12. Ouvrière de la mine connue pour son dévergondage.

Questions

Repérer et analyser

Le cadre spatio-temporel

1 À quelle saison et dans quels différents lieux cette scène se déroule-t-elle ? Citez des indices précis.

2 À quoi voit-on que le cadre minier est toujours présent ?

La progression du récit

3 Quels personnages constituent le fil directeur de la narration ? En quoi leur présence assure-t-elle la continuité de l'intrigue amoureuse ?

Le mode de narration

4 **a.** Relevez les verbes d'action (l. 1 à 22). Quel est l'effet produit par leur abondance ?

b. Relevez des énumérations. Quelle impression produisent-elles ?

c. Relisez les lignes 6 à 18, en relevant quelques effets de rythme (longueurs des phrases, coupes).

d. En quoi ces procédés traduisent-ils l'atmosphère de la fête ?

5 Montrez que, dans cette scène, le narrateur fait appel à tous les sens. Vous tracerez cinq colonnes (vue, ouïe, goût, odorat, toucher) et y inscrirez les termes qui ont trait à chacun de ces sens.

Le roman naturaliste

Une fête chez les mineurs

6 En quoi cet extrait s'apparente-t-il à un reportage sur la vie des mineurs ? Pour répondre :

a. dites quelles sont les diverses distractions auxquelles ils se livrent les jours de fête. Relevez les expressions qui montrent que les mineurs ont besoin d'émotions violentes ;

b. relevez et classez les précisions chiffrées, les noms propres de lieux, les détails précis sur le décor, les termes techniques.

7 Relevez quelques détails réalistes qui répondent aux principes des romanciers naturalistes.

Un personnage : la veuve Désir

8 De même que les mineurs sont métamorphosés par leur travail (voir l'extrait 5, p. 36), de même la veuve Désir a été transformée par son métier : à quoi le narrateur la compare-t-il ?

9 Que représente la veuve Désir pour les mineurs ? En quoi son nom même est-il évocateur ?

L'originalité du naturalisme de Zola

La vision de la foule

L'évocation de la fête de la Ducasse et du bal au Bon-Joyeux deviennent l'occasion pour Zola de présenter une *vision de la foule*.

10 À quels animaux les mineurs sont-ils comparés ? Dites quel est le point commun entre le comparé et le comparant.

11 Dans la scène du bal (notamment lignes 79 à 84), relevez les expressions et les procédés qui font de la foule une masse compacte sans distinction d'individus.

Écrire

Décrire une fête

12 Décrivez en quelques lignes une fête (locale, familiale, fête de quartier, fête foraine, kermesse…). Vous décrirez les sensations qu'elle procure et veillerez à en restituer l'atmosphère.

Enquêter

13 « Le calendrier des corporations » (l. 63-64) ; recherchez les « saints patrons » d'autres métiers. Connaissez-vous des fêtes particulières à certaines corporations, à certains pays ou à certaines régions ? Lesquelles ?

Extrait 11

« Cinquante francs pour quinze jours »

L'influence d'Étienne sur ses compagnons de travail a encore grandi. Il a même réussi à créer, avec les mineurs, une caisse de solidarité qui pourrait servir en cas de grève. L'automne revient et aujourd'hui c'est la paie des ouvriers. Une mauvaise surprise les attend.

Les jours de paie aux Chantiers de la Compagnie[1], Montsou semblait en fête, comme par les beaux dimanches de ducasse. De tous les *corons arrivait une cohue de mineurs. Le bureau du caissier était très petit, ils préféraient attendre à la porte,
5 ils stationnaient par groupes sur le pavé, barraient la route d'une queue de monde renouvelée sans cesse. Des camelots profitaient de l'occasion, s'installaient avec leurs bazars roulants, étalaient jusqu'à de la faïence et de la charcuterie. Mais, c'étaient surtout les estaminets[2] et les débits qui faisaient
10 bonne recette. […]
La caisse était une petite pièce rectangulaire, séparée en deux par un grillage. Sur les bancs, le long des murs, cinq ou six mineurs attendaient ; tandis que le caissier, aidé d'un commis, en payait un autre, debout devant le guichet, sa
15 casquette à la main. Au-dessus du banc de gauche, une affiche jaune se trouvait collée, toute fraîche dans le gris enfumé des plâtres ; et c'était là que, depuis le matin, défilaient continuellement des hommes. Ils entraient par deux ou par trois, restaient plantés, puis s'en allaient sans un mot, avec une
20 secousse des épaules, comme si on leur eût cassé l'échine.

| **1.** La direction des mines de Montsou. | **2.** Débits de boissons.

Il y avait justement deux charbonniers devant l'affiche, un jeune à tête carrée de brute, un vieux très maigre, la face hébétée par l'âge. Ni l'un ni l'autre ne savait lire, le jeune épelait en remuant les lèvres, le vieux se contentait de regarder
25 stupidement. Beaucoup entraient ainsi pour voir, sans comprendre.

– Lis-nous donc ça, dit son compagnon Maheu, qui n'était pas fort pour la lecture.

Alors Étienne se mit à lire l'affiche. C'était un avis de la
30 Compagnie aux mineurs de toutes les *fosses. Elle les avertissait que, devant le peu de soin apporté au *boisage, lasse d'infliger des amendes inutiles, elle avait pris la résolution d'appliquer un nouveau mode de paiement, pour l'*abattage de la houille. Désormais, elle paierait le boisage à part, au
35 mètre cube de bois descendu et employé, en se basant sur la quantité nécessaire à un bon travail. Le prix de la *berline de charbon abattu serait naturellement baissé, dans une proportion de cinquante centimes à quarante, suivant d'ailleurs la nature et l'éloignement des tailles. Et un calcul assez obscur
40 tâchait d'établir que cette diminution de dix centimes se trouverait exactement compensée par le prix du boisage. Du reste, la Compagnie ajoutait que, voulant laisser à chacun le temps de se convaincre des avantages présentés par ce nouveau mode, elle comptait seulement l'appliquer à partir du lundi, 1er
45 décembre.

– Nom de Dieu! murmura Maheu.

Lui et son compagnon s'étaient assis. Absorbés, la tête basse, tandis que le défilé continuait en face du papier jaune, ils calculaient. Est-ce qu'on se fichait d'eux! jamais ils ne rattrape-
50 raient, avec le boisage, les dix centimes diminués sur la berline. Au plus toucheraient-ils huit centimes, et c'était deux centimes que leur volait la Compagnie, sans compter le temps qu'un travail soigné leur prendrait. Voilà donc où elle voulait en

venir, à cette baisse de salaire déguisée ! Elle réalisait des écono-
55 mies dans la poche de ses mineurs.

– Nom de Dieu de nom de Dieu ! répéta Maheu en relevant
la tête. Nous sommes des jean-foutre, si nous acceptons ça !

Mais le guichet se trouvait libre, il s'approcha pour être payé.
Les chefs de marchandage[3] se présentaient seuls à la caisse,
60 puis répartissaient l'argent entre leurs hommes, ce qui gagnait
du temps.

– Maheu et consorts, dit le commis, veine Filonnière, *taille
numéro sept.

Il cherchait sur les listes, que l'on dressait en dépouillant
65 les livrets, où les *porions, chaque jour et par chantier, rele-
vaient le nombre de berlines extraites. Puis il répéta :

– Maheu et consorts, *veine Filonnière, taille numéro sept…
Cent trente-cinq francs.

Le caissier paya.

70 – Pardon, monsieur, balbutia le *haveur saisi, êtes-vous sûr
de ne pas vous tromper ?

Il regardait ce peu d'argent, sans le ramasser, glacé d'un petit
frisson qui lui coulait au cœur. Certes, il s'attendait à une paie
mauvaise, mais elle ne pouvait se réduire à si peu, ou il devait
75 avoir mal compté. Lorsqu'il aurait remis leur part à Zacharie,
à Étienne et à l'autre camarade qui remplaçait Chaval, il lui
resterait au plus cinquante francs pour lui, son père, Catherine
et Jeanlin.

– Non, non, je ne me trompe pas, reprit l'employé. Il faut
80 enlever deux dimanches et quatre jours de chômage : donc, ça
vous fait neuf jours de travail.

Maheu suivait ce calcul, additionnait tout bas : neuf jours
donnaient à lui environ trente francs, dix-huit à Catherine,
neuf à Jeanlin. Quant au père Bonnemort, il n'avait que trois

| **3.** Chefs d'équipe de la mine.

85 journées. N'importe, en ajoutant les quatre-vingt-dix francs de Zacharie et des deux camarades, ça faisait sûrement davantage.

– Et n'oubliez pas les amendes, acheva le commis. Vingt francs d'amendes pour boisages défectueux.

90 Le haveur eut un geste désespéré. Vingt francs d'amendes, quatre journées de chômage ! Alors, le compte y était. Dire qu'il avait rapporté jusqu'à des quinzaines de cent cinquante francs, lorsque le père Bonnemort travaillait et que Zacharie n'était pas encore en ménage !

95 – À la fin le prenez-vous ! cria le caissier impatienté. Vous voyez bien qu'un autre attend… Si vous n'en voulez pas, dites-le. [...]

De Montsou au coron, Étienne et Maheu n'échangèrent pas une parole. Lorsque ce dernier entra, la Maheude, qui était 100 seule avec les enfants, remarqua tout de suite qu'il avait les mains vides.

– Eh bien, tu es gentil ! dit-elle. Et mon café, et mon sucre, et la viande ? Un morceau de veau ne t'aurait pas ruiné.

Il ne répondait point, étranglé d'une émotion qu'il renfon-105 çait. Puis, dans ce visage épais d'homme durci aux travaux des mines, il y eut un gonflement de désespoir, et de grosses larmes crevèrent des yeux, tombèrent en pluie chaude. Il s'était abattu sur une chaise, il pleurait comme un enfant, en jetant les cinquante francs sur la table.

110 – Tiens ! bégaya-t-il, voilà ce que je te rapporte… C'est notre travail à tous.

La Maheude regarda Étienne, le vit muet et accablé. Alors, elle pleura aussi. Comment faire vivre neuf personnes, avec cinquante francs pour quinze jours ? Son aîné les avait quittés, 115 le vieux ne pouvait plus remuer les jambes : c'était la mort bientôt. Alzire se jeta au cou de sa mère, bouleversée de l'entendre pleurer. Estelle hurlait, Lénore et Henri sanglotaient.

Et, du coron entier, monta bientôt le même cri de misère.
Les hommes étaient rentrés, chaque ménage se lamentait
120 devant le désastre de cette paie mauvaise. Des portes se rouvri-
rent, des femmes parurent, criant au-dehors, comme si leurs
plaintes n'eussent pu tenir sous les plafonds des maisons closes.
Une pluie fine tombait, mais elles ne la sentaient pas, elles
s'appelaient sur les trottoirs, elles se montraient, dans le creux
125 de leur main, l'argent touché.

– Regardez ! ils lui ont donné ça, n'est-ce pas se foutre du
monde ?

– Moi, voyez ! je n'ai seulement pas de quoi payer le pain
de la quinzaine.

130 – Et moi donc ! comptez un peu, il me faudra encore vendre
mes chemises.

Extrait de la troisième partie, chapitre IV.

Questions

Repérer et analyser

La progression du récit

1 Pourquoi ce récit de la paye constitue-t-il un élément important dans la progression dramatique du roman ? Se rattache-t-il à l'intrigue sociale et politique ou à l'intrigue amoureuse ?

2 **a.** Quel est le rôle précis d'Étienne au début de l'extrait ? Quelle est sa réaction à la fin de l'extrait ?

b. Selon vous, est-il important, pour la suite du roman, qu'Étienne soit présent à cette scène ? Justifiez votre réponse.

Le roman naturaliste

Le documentaire sur la mine

3 Relevez et expliquez les termes techniques ayant trait à la mine.

4 Relevez les précisions concernant les lieux, les chiffres.

5 Quelles informations cet extrait fournit-il sur le déroulement d'un jour de paie et les modalités de la paie ?

Les rapports de force : la Compagnie face aux mineurs

6 **a.** Quelles sont les informations qui figurent sur l'affiche ? Ces informations sont-elles rapportées directement ou indirectement ?

b. En quoi la Compagnie fait-elle preuve d'autorité et de mauvaise foi ?

7 Quels détails, quelles attitudes traduisent la soumission des mineurs devant la Compagnie et ses représentants (l. 11 à 20) ?

Un personnage : Maheu

8 Quel est le comportement de Maheu face au caissier ? Y a-t-il vraiment discussion entre le caissier et lui ?

9 **a.** Quel est l'effet produit par les différents calculs auxquels se livre intérieurement Maheu (l. 75 à 78 et 82 à 87) ?

b. Quels sentiments éprouve-t-il successivement ? Appuyez-vous sur les champs lexicaux et sur les passages au style indirect libre (voir page 20).

L'originalité du naturalisme de Zola

La dramatisation

10 Montrez, en citant quelques passages significatifs et en vous appuyant sur des champs lexicaux, que l'émotion s'intensifie au fil du texte.

11 **a.** À partir de la ligne 118, par quels procédés le narrateur présente-t-il les mineurs comme un personnage collectif ?
b. Quel est l'effet produit par l'emploi du style direct à la fin de l'extrait ? Qui parle ?

12 En quoi les conditions atmosphériques confèrent-elles une tonalité dramatique à la scène ? Citez précisément le texte.

Écrire

Rédiger une affiche

13 Rédigez l'affiche, telle que pouvaient la lire les mineurs, collée par la Compagnie aux murs de la « caisse » (utilisez les renseignements donnés dans le texte, pour adopter le ton juste et exposer les mesures projetées).

Extrait 12

« Et le pauvre petit corps apparut d'une maigreur d'insecte »

Le travail reprend, dans un accablement encore plus grand. Mais les mineurs connaîtront d'autres malheurs encore. Jeanlin, le fils de Maheu, et Bébert, fils des Levaque, mènent, comme d'habitude, le train de berlines tiré par Bataille qui, ce jour-là, se conduit bizarrement.

– Va, il a du vice, le vieux[1] !… Quand il s'arrête comme ça, c'est qu'il devine un embêtement, une pierre ou un trou ; et il se soigne, il ne veut rien casser… Aujourd'hui, je ne sais pas ce qu'il peut avoir, là-bas, après la porte. Il la pousse et reste

5 planté sur les pieds… Est-ce que tu as senti quelque chose ?

– Non, dit Jeanlin. Il y a de l'eau, j'en ai jusqu'aux genoux.

Le train[2] repartit. Et, au voyage suivant, lorsqu'il eut ouvert la porte d'*aérage d'un coup de tête, Bataille de nouveau refusa d'avancer, hennissant, tremblant. Enfin, il se décida d'un trait.

10 Jeanlin, qui refermait la porte, était resté en arrière. Il se baissa, regarda la mare où il pataugeait ; puis, élevant sa lampe, il s'aperçut que les bois avaient fléchi, sous le suintement continu d'une source. Justement, un *haveur, un nommé Berloque dit Chicot, arrivait de sa *taille, pressé de revoir sa

15 femme, qui était en couches[3]. Lui aussi s'arrêta, examina le *boisage. Et, tout d'un coup, comme le petit allait s'élancer pour rejoindre son train, un craquement formidable s'était fait entendre, l'éboulement avait englouti l'homme et l'enfant.

| **1.** Bataille. | **2.** Le train de berlines. | **3.** En train d'accoucher.

Il y eut un grand silence. Poussée par le vent de la chute, une
20 poussière épaisse montait dans les voies. Et, aveuglés, étouffés,
les mineurs descendaient de toutes parts, des chantiers plus
lointains, avec leurs lampes dansantes, qui éclairaient mal ce
galop d'hommes noirs, au fond de ces trous de taupe. Lorsque
les premiers butèrent contre l'éboulement, ils crièrent, appe-
25 lèrent les camarades. Une seconde bande, venue par la taille
du fond, se trouvait de l'autre côté des terres, dont la masse
bouchait la galerie. Tout de suite, on constata que le toit s'était
effondré sur une dizaine de mètres au plus. Le dommage n'avait
rien de grave. Mais les cœurs se serrèrent, lorsqu'un râle[4] de
30 mort sortit des décombres[5].

Bébert, lâchant son train, accourait en répétant :
– Jeanlin est dessous ! Jeanlin est dessous !

Maheu, à ce moment même, déboulait de la cheminée, avec
Zacharie et Étienne. Il fut pris d'une fureur de désespoir, il
35 ne lâcha que des jurons.
– Nom de Dieu ! nom de Dieu ! nom de Dieu !

Catherine, Lydie, la Mouquette, qui avaient galopé aussi,
se mirent à sangloter, à hurler d'épouvante, au milieu de
l'effrayant désordre, que les ténèbres augmentaient. On
40 voulait les faire taire, elles s'affolaient, hurlaient plus fort, à
chaque râle.

Le *porion Richomme était arrivé au pas de course, désolé
que ni l'ingénieur Négrel, ni Dansaert, ne fussent à la fosse.
L'oreille collée contre les roches, il écoutait ; et il finit par dire
45 que ces plaintes n'étaient pas des plaintes d'enfant. Un homme
se trouvait là, pour sûr. À vingt reprises déjà Maheu avait appelé
Jeanlin. Pas une haleine ne soufflait. Le petit devait être broyé.

Et toujours le râle continuait, monotone. On parlait à l'ago-
nisant, on lui demandait son nom. Le râle seul répondait.

---

4. Gémissement sourd de souffrance.
5. Débris, amas de terre et de pierres consécutifs à l'éboulement.

50 – Dépêchons! répétait Richomme, qui avait déjà organisé le sauvetage. On causera ensuite.

Des deux côtés, les mineurs attaquaient l'éboulement, avec la pioche et la pelle. Chaval travaillait sans une parole, à côté de Maheu et d'Étienne; tandis que Zacharie dirigeait le trans-
55 port des terres. L'heure de la sortie était venue, aucun n'avait mangé; mais on ne s'en allait pas pour la soupe, tant que des camarades se trouvaient en péril. Cependant, on songea que le *coron s'inquiéterait, s'il ne voyait rentrer personne, et l'on proposa d'y renvoyer les femmes. Ni Catherine, ni la
60 Mouquette, ni même Lydie, ne voulurent s'éloigner, clouées par le besoin de savoir, aidant aux déblais. Alors Levaque accepta la commission d'annoncer là-haut l'éboulement, un simple dommage qu'on réparait. Il était près de quatre heures, les ouvriers en moins d'une heure avaient fait la besogne d'un
65 jour: déjà la moitié des terres auraient dû être enlevées, si de nouvelles roches n'avaient glissé du toit. Maheu s'obstinait avec une telle rage, qu'il refusait d'un geste terrible, quand un autre s'approchait pour le relayer un instant.

– Doucement! dit enfin Richomme. Nous arrivons… Il ne
70 faut pas les achever.

En effet, le râle devenait de plus en plus distinct. C'était ce râle continu qui guidait les travailleurs; et, maintenant, il semblait souffler sous les pioches mêmes. Brusquement, il cessa.

Tous, silencieux, se regardèrent, frissonnants d'avoir senti
75 passer le froid de la mort, dans les ténèbres. Ils piochaient, trempés de sueur, les muscles tendus à se rompre. Un pied fut rencontré, on enleva dès lors les terres avec les mains, on dégagea les membres un à un. La tête n'avait pas souffert. Des lampes l'éclairaient, et le nom de Chicot circula. Il était tout
80 chaud, la colonne vertébrale cassée par une roche.

– Enveloppez-le dans une couverture et mettez-le sur une berline, commanda le porion. Au mioche maintenant, dépêchons!

Maheu donna un dernier coup, et une ouverture se fit, on
communiqua avec les hommes qui déblayaient l'éboulement
de l'autre côté. Ils crièrent, ils venaient de trouver Jeanlin
évanoui, les deux jambes brisées, respirant encore. Ce fut le
père qui apporta le petit dans ses bras ; et, les mâchoires serrées,
il ne lâchait toujours que des « nom de Dieu ! » pour dire sa
douleur ; tandis que Catherine et les autres femmes s'étaient
remises à hurler.

On forma vivement le cortège. Bébert avait ramené Bataille,
qu'on attela aux deux *berlines ; dans la première, gisait le
cadavre de Chicot, maintenu par Étienne ; dans la seconde,
Maheu s'était assis, portant sur les genoux Jeanlin sans
connaissance, couvert d'un lambeau de laine, arraché à une
porte d'aérage. Et l'on partit, au pas. Sur chaque berline, une
lampe mettait une étoile rouge. Puis, derrière, suivait la queue
des mineurs, une cinquantaine d'ombres à la file. Maintenant,
la fatigue les écrasait, ils traînaient les pieds, glissaient dans
la boue, avec le deuil morne[6] d'un troupeau frappé d'épi-
démie. Il fallut près d'une demi-heure pour arriver à l'*accrochage. Ce convoi sous la terre, au milieu des épaisses ténèbres,
n'en finissait plus, le long des galeries qui bifurquaient[7], tournaient, se déroulaient.

À l'accrochage, Richomme, venu en avant, avait donné
l'ordre qu'une *cage vide fût réservée. Pierron emballa tout
de suite les deux berlines. Dans l'une, Maheu resta avec son
petit blessé sur les genoux, pendant que, dans l'autre, Étienne
devait garder, entre ses bras, le cadavre de Chicot, pour qu'il
pût tenir. Lorsque les ouvriers se furent entassés aux autres
étages, la cage monta. On mit deux minutes. La pluie du *cuvelage tombait très froide, les hommes regardaient en l'air impa-
tients de revoir le jour.

6. Triste.
7. Se séparaient en fourche.

115   Heureusement, un *galibot, envoyé chez le docteur Vander-
haghen, l'avait trouvé et le ramenait. Jeanlin et le mort furent
portés dans la chambre des porions, où, d'un bout de l'année
à l'autre, brûlait un grand feu. On rangea les seaux d'eau
chaude, tout prêts pour le lavage des pieds ; et, après avoir étalé
120   deux matelas sur les dalles, on y coucha l'homme et l'enfant.
Seuls, Maheu et Étienne entrèrent. Dehors des *herscheuses,
des mineurs, des galopins accourus, faisaient un groupe,
causaient à voix basse.

Dès que le médecin eut donné un coup d'œil à Chicot, il
125   murmura :

– Fichu !… Vous pouvez le laver.

Deux surveillants déshabillèrent, puis lavèrent à l'éponge ce
cadavre noir de charbon, sale encore de la sueur du travail.

– La tête n'a rien, avait repris le docteur, agenouillé sur le
130   matelas de Jeanlin. La poitrine non plus… Ah ! Ce sont les
jambes qui ont étrenné.

Lui-même déshabillait l'enfant, dénouait le béguin[8], ôtait
la veste, tirait les culottes et la chemise, avec une adresse de
nourrice.

135   Et le pauvre petit corps apparut d'une maigreur d'insecte,
souillé de poussière noire, de terre jaune, que marbraient des
taches sanglantes. On ne distinguait rien, on dut le laver
aussi.

Alors, il sembla maigrir encore sous l'éponge, la chair si
140   blême, si transparente, qu'on voyait les os. C'était une pitié,
cette dégénérescence dernière d'une race de misérables, ce rien
du tout souffrant, à demi broyé par l'écrasement des roches.
Quand il fut propre, on aperçut les meurtrissures des cuisses,
deux taches rouges sur la peau blanche.

Extrait de la troisième partie, chapitre V.

| **8.** Bonnet.

Repérer et analyser

Le statut du narrateur

> Le *narrateur* peut intervenir au cours du récit, de façon explicite (par des commentaires) ou de façon implicite (notamment par l'emploi d'un lexique valorisant ou dévalorisant).

1 **a.** Relevez dans les dernières lignes (à partir de la ligne 135) un adjectif qualificatif et une expression qui marquent un jugement du narrateur.

b. Quel est le sentiment exprimé par le narrateur ?

La tension dramatique

2 Quels détails laissent attendre, dès le début du texte, un événement imprévu ?

3 **a.** Relevez les notations qui rendent compte de l'atmosphère, de la luminosité, des couleurs, des bruits et des silences. Vous préciserez l'origine des bruits, ainsi que leur intensité et leur fréquence.

b. Quel est l'effet produit par ces différentes notations ?

4 Qu'est-ce qui rend rétrospectivement encore plus dramatique la mort de Chicot (voir le début de l'extrait, p. 78) ?

Le roman naturaliste

L'influence de l'hérédité

> Selon la théorie naturaliste, le milieu des mineurs et leur *hérédité* sont cause de dégénérescence physique.

5 Relevez à la fin de l'extrait l'expression qui montre que Jeanlin est marqué par son hérédité.

Les précisions réalistes

6 Relevez les détails réalistes concernant l'accident.

7 Sur quel ton le docteur s'exprime-t-il ? Appuyez-vous pour répondre sur la longueur des phrases et le lexique.

L'originalité du naturalisme de Zola

Les symboles

8 Relevez les expressions qui assimilent les mineurs à des bêtes. Analysez ces comparaisons.

9 Jeanlin a perdu toute apparence humaine (l. 135 à 143).

a. Montrez en citant le texte qu'il n'est plus qu'un mélange de couleurs. Vous vous demanderez quelle peut être la valeur symbolique de chacune d'elles.

b. Analysez la métaphore qui l'assimile à une bête. Quel est l'élément commun qui permet le rapprochement entre le comparé et le comparant ?

c. « Ce rien du tout souffrant » (l. 140-141) : quel est l'effet produit par cette désignation ?

10 Quels détails apparentent la sortie de la mine à un cortège funèbre ?

11 Dans quelle attitude Zola présente-t-il plusieurs fois Maheu, une fois Jeanlin dégagé ? À quel thème pictural, à quel type de tableau cette description peut-elle faire penser ?

Extrait 13

« Camarades ! Camarades ! »

Comme elle l'a annoncé, la Compagnie applique son nouveau système de salaires. Alors éclate la grève : une délégation de mineurs, auprès du directeur, échoue. La grève s'étend, mais très vite, la faim, le froid commencent à sévir.

Chez les Maheu, comme chez beaucoup d'autres, la situation devient tragique ; la famille se disloque. Catherine est partie vivre avec Chaval et continue à travailler, mais dans une autre mine ; Jeanlin, infirme, vit de brigandages. Étienne, devenu chef de la grève, doute parfois de ce combat désespéré, mais il est trop tard pour reculer.

Les gendarmes ont déjà interrompu une réunion de grévistes, tenue dans un cabaret. C'est donc dans la forêt qu'on se réunit à la nuit tombante. Des orateurs ont déjà proposé divers projets, plus ou moins bien accueillis.

Des huées s'élevaient, et l'on fut surpris d'apercevoir, debout sur le tronc, le père Bonnemort en train de parler au milieu du vacarme. Jusque-là, Mouque et lui s'étaient tenus absorbés, dans cet air qu'ils avaient de toujours réfléchir à des choses

5 anciennes. Sans doute il cédait à une de ces crises soudaines de bavardage, qui, parfois, remuaient en lui le passé, si violemment, que des souvenirs remontaient et coulaient de ses lèvres, pendant des heures. Un grand silence s'était fait, on écoutait ce vieillard, d'une pâleur de spectre[1] sous la lune ; et, comme

10 il racontait des choses sans liens immédiats avec la discussion, de longues histoires que personne ne pouvait comprendre, le saisissement augmenta. C'était de sa jeunesse qu'il causait, il

| 1. Fantôme.

disait la mort de ses deux oncles écrasés au Voreux, puis il passait à la fluxion[2] de poitrine qui avait emporté sa femme.
15 Pourtant, il ne lâchait pas son idée : ça n'avait jamais bien marché, et ça ne marcherait jamais bien.

Ainsi, dans la forêt, ils s'étaient réunis cinq cents, parce que le roi ne voulait pas diminuer les heures de travail ; mais il resta court, il commença le récit d'une autre grève : il en avait
20 tant vu ! Toutes aboutissaient sous ces arbres, ici au Plan-des-Dames, là-bas à la Charbonnerie, plus loin encore vers le Saut-du-Loup. Des fois il gelait, des fois il faisait chaud. Un soir, il avait plu si fort, qu'on était rentré sans avoir rien pu se dire. Et les soldats du roi arrivaient, et ça finissait par des
25 coups de fusil.

– Nous levions la main comme ça, nous jurions de ne pas redescendre... Ah ! j'ai juré, oui ! j'ai juré !

La foule écoutait, béante[3] prise d'un malaise lorsque Étienne, qui suivait la scène, sauta sur l'arbre abattu et garda
30 le vieillard à son côté. Il venait de reconnaître Chaval parmi les amis au premier rang. L'idée que Catherine devait être là l'avait soulevé d'une nouvelle flamme, d'un besoin de se faire acclamer devant elle.

– Camarades, vous avez entendu, voilà un de nos anciens,
35 voilà ce qu'il a souffert et ce que nos enfants souffriront, si nous n'en finissons pas avec les voleurs et les bourreaux.

Il fut terrible, jamais il n'avait parlé si violemment. D'un bras, il maintenait le vieux Bonnemort, il l'étalait comme un drapeau de misère et de deuil, criant vengeance. En
40 phrases rapides, il remontait au premier Maheu, il montrait toute cette famille usée à la mine, mangée par la Compagnie, plus affamée après cent ans de travail ; et, devant elle, il mettait ensuite les ventres de la Régie[4], qui suaient l'argent,

---

| 2. Pneumonie. | 3. Ouvrant grand la bouche, les yeux. | 4. Direction.

toute la bande des actionnaires[5] entretenus comme des filles[6]
depuis un siècle, à ne rien faire, à jouir de leur corps. N'était-
ce pas effroyable : un peuple d'hommes crevant au fond de
père en fils, pour qu'on paie des pots-de-vin[7] à des ministres,
pour que des générations de grands seigneurs et de bourgeois donnent des fêtes ou s'engraissent au coin de leur feu !
Il avait étudié les maladies des mineurs, il les faisait défiler
toutes, avec des détails effrayants : l'anémie[8], les scrofules[9],
la bronchite noire, l'asthme qui étouffe, les rhumatismes qui
paralysent. Ces misérables, on les jetait en pâture aux
machines, on les parquait ainsi que du bétail dans les
*corons, les grandes Compagnies les absorbaient peu à peu,
réglementant l'esclavage, menaçant d'enrégimenter tous les
travailleurs d'une nation, des millions de bras, pour la
fortune d'un millier de paresseux. Mais le mineur n'était
plus l'ignorant, la brute écrasée dans les entrailles du sol.
Une armée poussait des profondeurs des *fosses, une
moisson de citoyens dont la semence germait et ferait éclater
la terre, un jour de grand soleil. Et l'on saurait alors si, après
quarante années de service, on oserait offrir cent cinquante
francs de pension à un vieillard de soixante ans, crachant
de la houille, les jambes enflées par l'eau des *tailles. Oui !
le travail demanderait des comptes au capital[10], à ce dieu
impersonnel, inconnu de l'ouvrier, accroupi quelque part,
dans le mystère de son tabernacle[11], d'où il suçait la vie des
meurt-la-faim qui le nourrissaient ! On irait là-bas, on fini-
rait bien par lui voir sa face aux clartés des incendies, on le
noierait sous le sang, ce pourceau immonde, cette idole
monstrueuse, gorgée de chair humaine !

---

5. Propriétaires d'une fraction de la société.
6. Prostituées.
7. Sommes d'argent remises illégalement
pour obtenir un avantage.
8. Voir la note 7, page 54.

9. Abcès, tumeurs.
10. C'est-à-dire les capitalistes.
Pour Étienne, les industriels très riches.
11. Voir la note 6, p. 26.

Il se tut, mais son bras, toujours tendu dans le vide, désignait l'ennemi, là-bas, il ne savait où, d'un bout à l'autre de
75 la terre. Cette fois, la clameur de la foule fut si haute, que les bourgeois de Montsou l'entendirent et regardèrent du côté de Vandame[12], pris d'inquiétude à l'idée de quelque éboulement formidable. Des oiseaux de nuit s'élevaient au-dessus des bois, dans le grand ciel clair.

80 Lui, tout de suite, voulut conclure :

– Camarades, quelle est votre décision ?… Votez-vous la continuation de la grève ?

– Oui ! Oui ! hurlèrent les voix.

– Et quelles mesures arrêtez-vous ?… Notre défaite est
85 certaine, si des lâches descendent demain.

Les voix reprirent, avec leur souffle de tempête :

– Mort aux lâches !

– Vous décidez donc de les rappeler au devoir, à la foi jurée… Voici ce que nous pourrions faire : nous présenter aux fosses,
90 ramener les traîtres par notre présence, montrer à la Compagnie que nous sommes tous d'accord et que nous mourrons plutôt que de céder.

– C'est cela, aux fosses ! aux fosses !

Depuis qu'il parlait, Étienne avait cherché Catherine, parmi
95 les têtes pâles, grondantes devant lui. Elle n'y était décidément pas. Mais il voyait toujours Chaval, qui affectait de ricaner en haussant les épaules, dévoré de jalousie, prêt à se vendre pour un peu de cette popularité.

– Et, s'il y a des mouchards parmi nous, camarades, continua
100 Étienne, qu'ils se méfient, on les connaît… Oui, je vois des charbonniers de Vandame, qui n'ont pas quitté leur fosse…

– C'est pour moi que tu dis ça, demanda Chaval d'un air de bravade.

| **12.** Autre fosse d'extraction.

– Pour toi ou pour un autre… Mais, puisque tu parles, tu
105 devrais comprendre que ceux qui mangent n'ont rien à faire
avec ceux qui ont faim. Tu travailles à Jean-Bart…

Une voix gouailleuse[13] interrompit :

– Oh ! il travaille… Il a une femme qui travaille pour lui.

Chaval jura, le sang au visage.

110 – Nom de Dieu ! c'est défendu de travailler, alors ?

– Oui ! cria Étienne, quand les camarades endurent la misère
pour le bien de tous, c'est défendu de se mettre en égoïste et
en cafard du côté des patrons.

Extrait de la quatrième partie, chapitre IV.

En grève (1890), gravure d'après un tableau de La Touche.

13. Moqueuse.

Questions

Repérer et analyser

Le cadre spatio-temporel

1 Dans quel lieu la scène se déroule-t-elle? À quel moment de la journée? Citez des indices.

Les paroles rapportées

Les paroles peuvent être rapportées au *style direct*, *indirect*, *indirect libre* (voir p. 20). Le narrateur peut aussi les résumer: c'est le « *récit de paroles* ».

2 Repérez dans l'intervention de Bonnemort et dans celle d'Étienne les différents modes de la parole rapportée.

3 **a.** Montrez en citant le texte que les propos de Bonnemort manquent de cohérence, de suite logique.

b. Relisez l'extrait 3 (p. 22). Bonnemort présente-t-il l'histoire de sa famille sur le même ton? Quelles différences constatez-vous?

c. En quoi l'intervention de Bonnemort prépare-t-elle celle d'Étienne?

Le discours argumentatif

4 Définissez les enjeux du discours d'Étienne: qui doit-il convaincre et de quoi?

5 Quelles sont les deux grandes parties du discours? Quels sont les principaux arguments utilisés par Étienne?

6 Analysez les procédés de l'argumentation.

a. Le jeu des antithèses: relevez les termes qui désignent et caractérisent les mineurs exploités et ceux qui les exploitent.

b. Relevez les exemples et les chiffres utilisés par Étienne pour étayer son argumentation. En quoi ont-ils une valeur argumentative?

c. Analysez les métaphores, notamment celles de la germination et de la voracité des lignes 39 à 72. Quel sens pouvez-vous d'ores et déjà donner au titre du roman?

d. Relevez les énumérations, les appels à l'auditoire.

e. Relevez des effets de rythme (notamment l. 39 à 42 et 45 à 49).

f. Relevez les gestes par lesquels Étienne ponctue son discours. Quel sens donnez-vous à ces gestes?

L'originalité du naturalisme de Zola

La dimension épique

Le naturalisme de Zola s'élargit en une *vision épique*. L'épopée est un récit qui met en scène une collectivité ou des héros en lutte avec des forces qui les dépassent.

7 Montrez en citant le texte que les grévistes ont ici des réactions collectives, de groupes. Quelles sont ces réactions ?

8 En quoi la nature (paysage, couleurs, bêtes) s'harmonise-t-elle bien avec l'atmosphère de la scène ?

Le parcours du héros

9 En quoi peut-on dire que les deux intrigues, politique et amoureuse, se rejoignent ? Quels passages précis indiquent que Catherine se trouve toujours au centre de l'antagonisme entre Chaval et Étienne ?

10 En quoi Étienne a-t-il évolué depuis le début du roman ?

Enquêter

À propos du titre *Germinal*

Zola avait pensé à bien d'autres titres : *Coup de pioche, La Maison qui craque, Le Grain qui germe, L'Orage qui monte, Le Sang qui germe, Maison rouge, Le Feu qui couve, Le Sol qui brûle, Le Feu souterrain*, puis... *Germinal*.

11 **a.** Cherchez le sens exact du mot « Germinal ».
b. Parmi les titres cités, lesquels vous semblent les plus satisfaisants ? Pourquoi, selon vous, Zola s'est-il décidé pour *Germinal* ? Reportez-vous, pour répondre, aux extraits. Quelle est la valeur symbolique de ce titre ? Est-il optimiste ou pessimiste ?

Écrire

Exercice de réécriture

12 Transposez au style direct le discours d'Étienne (lignes 39 à 72) en effectuant les modifications nécessaires.

Rédiger une argumentation

13 Composez le discours d'un personnage désireux de convaincre son auditoire (par exemple : contre la chasse, la vivisection ; pour ou contre la peine de mort…). N'oubliez pas que tout orateur doit :
– soigner le plan de son discours ;
– frapper l'imagination du public, en utilisant des figures de style ;
– jouer sur le rythme des phrases ;
– s'adapter à l'auditoire (tenir compte de son niveau culturel, de ses « points sensibles »…).

Débattre

14 Vous êtes-vous déjà rendu compte qu'une foule ne réagit pas comme des individus séparés ? À quelles occasions (pensez aux spectacles, aux manifestations…) ? Pourquoi ? Vous donnerez votre point de vue lors d'un débat en classe.

Étudier le lexique

15 **a.** D'où vient le mot « grève » ? Retracez l'histoire de ce mot en vous aidant d'une encyclopédie et d'un dictionnaire étymologique.
b. Depuis quand existe le droit de grève ? Dans quels pays est-il inconnu ?
c. Avez-vous entendu parler, autour de vous, de grandes grèves ? Si oui, lesquelles ? Quel fut leur résultat ? Recherchez les dates des grandes grèves de l'histoire. Quelles étaient les revendications des grévistes ?
d. Qu'est-ce que la « grève de la faim » ? La « grève du zèle » ?

Extrait 14

« Cela tournait à la torture »

Désormais, c'est la grève générale que veulent imposer les ouvriers de Montsou, pour que le travail s'arrête dans le pays tout entier. Les grévistes envahissent Vandame, une *fosse proche de Montsou ; cependant, quelques mineurs gagnent le fond ; parmi eux, Catherine Maheu qui a abandonné le Voreux pour travailler avec Chaval, son « galant » qui la brutalise et la maltraite.

Péniblement, Catherine s'était décidée à emplir sa *berline ; puis, elle la poussa. La galerie était trop large pour qu'elle pût s'arc-bouter[1] aux deux côtés des bois, ses pieds nus se tordaient dans les rails, où il cherchaient un point d'appui, pendant
5 qu'elle filait avec lenteur, les bras raidis en avant, la taille cassée. Et, dès qu'elle longeait le corroi[2], le supplice du feu recommençait, la sueur tombait aussitôt de tout son corps, en gouttes énormes, comme une pluie d'orage.

À peine au tiers du relais, elle ruissela, aveuglée, souillée elle
10 aussi d'une boue noire. Sa chemise étroite, comme trempée d'encre, collait à sa peau, lui remontait jusqu'aux reins dans le mouvement des cuisses ; et elle en était si douloureusement bridée, qu'il lui fallut lâcher encore la besogne.

Qu'avait-elle donc, ce jour-là ? Jamais elle ne s'était senti
15 ainsi du coton dans les os. Ça devait être un mauvais air. L'*aérage ne se faisait pas, au fond de cette voie éloignée. On y respirait toutes sortes de vapeurs qui sortaient du charbon avec un petit bruit bouillonnant de source, si abondantes parfois, que les lampes refusaient de brûler ; sans parler du

---

1. Prendre appui sur une partie du corps pour exercer une poussée.
2. Mur d'argile coupant une galerie.

20 grisou[3], dont on ne s'occupait plus, tant la *veine en soufflait au nez des ouvriers, d'un bout de la quinzaine à l'autre.
Elle le connaissait bien, ce mauvais air, cet air mort comme
disent les mineurs, en bas de lourds gaz d'asphyxie, en haut
des gaz légers qui s'allument et foudroient tous les chantiers
25 d'une fosse, des centaines d'hommes, dans un seul coup de
tonnerre. Depuis son enfance, elle en avait tellement avalé,
qu'elle s'étonnait de le supporter si mal, les oreilles bourdon-
nantes, la gorge en feu.

N'en pouvant plus, elle éprouva un besoin d'ôter sa chemise.
30 Cela tournait à la torture, ce linge dont les moindres plis la
coupaient, la brûlaient. Elle résista, voulut rouler encore, fut
forcée de se remettre debout. Alors, vivement, en se disant
qu'elle se couvrirait au relais, elle enleva tout, la corde, la
chemise, si fiévreuse, qu'elle aurait arraché la peau, si elle avait
35 pu. Et, nue maintenant, pitoyable, ravalée au trot de la femelle
quêtant[4] sa vie par la boue des chemins, elle besognait, la
croupe barbouillée de suie, avec de la crotte jusqu'au ventre,
ainsi qu'une jument de fiacre. À quatre pattes, elle poussait.

Mais un désespoir lui vint, elle n'était pas soulagée d'être
40 nue. Quoi ôter encore ? Le bourdonnement de ses oreilles l'assourdissait, il lui semblait sentir un étau la serrer aux tempes.
Elle tomba sur les genoux. La lampe, calée dans le charbon
de la berline, lui parut s'éteindre. Seule, l'intention d'en
remonter la mèche surnageait, au milieu de ses idées confuses.
45 Deux fois elle voulut l'examiner, et les deux fois, à mesure
qu'elle la posait devant elle, par terre, elle la vit pâlir, comme
si elle aussi eût manqué de souffle. Brusquement la lampe
s'éteignit. Alors, tout roula au fond des ténèbres, une meule
tournait dans sa tête, son cœur défaillait, s'arrêtait de battre,
50 engourdi à son tour par la fatigue immense qui endormait

| **3.** Gaz inflammable. | **4.** Cherchant.

ses membres. Elle s'était renversée, elle agonisait dans l'air d'asphyxie, au ras du sol.

– Je crois, nom de Dieu ! qu'elle flâne encore, gronda la voix de Chaval.

55 Il écouta du haut de la taille, n'entendit point le bruit des roues.

– Eh ! Catherine, sacrée couleuvre !

La voix se perdait au loin, dans la galerie noire, et pas une haleine ne répondait.

60 – Veux-tu que j'aille te faire grouiller, moi !

Rien ne remuait, toujours le même silence de mort. Furieux, il descendit, il courut avec sa lampe, si violemment qu'il faillit buter dans le corps de la *herscheuse, qui barrait la voie. Béant, il la regardait. Qu'avait-elle donc ? Ce n'était pas une frime[5]
65 au moins, histoire de faire un somme ? Mais la lampe, qu'il avait baissée pour lui éclairer la face, menaça de s'éteindre. Il la releva, la baissa de nouveau, finit par comprendre : ça devait être un coup de mauvais air. Sa violence était tombée, le dévouement du mineur s'éveillait, en face du camarade en
70 péril. Déjà il criait qu'on lui apportât sa chemise ; et il avait saisi à pleins bras la fille nue et évanouie, il la soulevait le plus haut possible. Quand on lui eut jeté sur les épaules leurs vêtements, il partit au pas de course, soutenant d'une main son fardeau, portant les deux lampes de l'autre. Les galeries
75 profondes se déroulaient, il galopait, prenait à droite, prenait à gauche, allait chercher la vie dans l'air glacé de la plaine, que soufflait le ventilateur. Enfin, un bruit de source l'arrêta, le ruissellement d'une infiltration coulant de la roche. Il se trouvait à un carrefour d'une grande galerie de *roulage, qui
80 desservait autrefois Gaston-Marie. L'aérage y soufflait en un vent de tempête, la fraîcheur y était si grande, qu'il fut secoué

| **5.** Comédie.

d'un frisson, lorsqu'il eut assis par terre, contre les bois, sa maîtresse toujours sans connaissance, les yeux fermés.

– Catherine, voyons, nom de Dieu! pas de blague... Tiens-
85 toi un peu que je trempe ça dans l'eau.

Il s'effarait de la voir si molle. Pourtant, il put tremper sa chemise dans la source, et il lui en lava la figure. Elle était comme une morte, enterrée déjà au fond de la terre, avec son corps fluet de fille tardive, où les formes de la puberté hési-
90 taient encore. Puis, un frémissement courut sur sa gorge d'enfant, sur son ventre et ses cuisses de petite misérable, déflorée avant l'âge. Elle ouvrit les yeux, elle bégaya:

– J'ai froid.

– Ah! J'aime mieux ça, par exemple! cria Chaval soulagé.
95 Il la rhabilla, glissa aisément la chemise, jura de la peine qu'il eut à passer la culotte, car elle ne pouvait s'aider beaucoup. Elle restait étourdie, ne comprenait pas où elle se trouvait; ni pourquoi elle était nue. Quand elle se souvint, elle fut honteuse. Comment avait-elle osé enlever tout! Et elle le questionnait:
100 est-ce qu'on l'avait aperçue ainsi, sans un mouchoir à la taille seulement, pour se cacher? Lui, qui rigolait, inventait des histoires, racontait qu'il venait de l'apporter là, au milieu de tous les camarades faisant la haie. Quelle idée aussi d'avoir écouté son conseil et de s'être mis le derrière à l'air! [...]
105   – Bigre! mais je crève de froid, dit-il en se rhabillant à son tour.

Jamais elle ne l'avait vu si gentil. D'ordinaire, pour une bonne parole qu'il disait, elle empoignait tout de suite deux sottises. Cela aurait été si bon de vivre d'accord! Une tendresse la péné-
110 trait, dans l'alanguissement de sa fatigue. Elle lui sourit, elle murmura: – Embrasse-moi.

Il l'embrassa, il se coucha près d'elle, en attendant qu'elle pût marcher.

Extrait de la cinquième partie, chapitre II.

Repérer et analyser

Le mode de narration

1 Repérez les passages au style direct, indirect, indirect libre qui permettent de rendre compte des sentiments et des pensées des deux personnages.

Le roman naturaliste

2 Quels dangers de la mine sont mis en avant dans cet extrait ? En quoi sont-ils différents des dangers qu'évoque Zola dans l'extrait 12, p. 78 ?

La progression dramatique

3 **a.** Étudiez la progression dramatique en délimitant les différentes parties de ce texte et en leur donnant un titre.
b. Quel est le passage où la tension dramatique est la plus forte ? À quel moment l'atmosphère commence-t-elle à se détendre ?

Le registre pathétique

> Le *registre pathétique* vise à bouleverser le lecteur en mettant en scène des personnages qui souffrent.

4 **a.** Relevez le champ lexical de la douleur.
b. À quoi la douleur de Catherine est-elle successivement comparée ? Analysez les comparaisons.
5 Analysez le rythme des lignes 45 à 52. En quoi rend-il compte de la progressive perte de connaissance de Catherine (pour répondre, aidez-vous de la ponctuation) ?

L'originalité du naturalisme de Zola

La métaphore animale

6 En quoi le travail de Catherine la transforme-t-il en bête ? Relevez des termes de l'extrait qui montrent précisément cette métamorphose.

Le personnage de Chaval

7 En quoi la première réaction de Chaval le montre-t-elle conforme à ce que le lecteur connaît déjà de lui ? Soyez précis dans vos références.

8 Quel nouvel aspect du personnage le lecteur découvre-t-il ? Justifiez votre réponse.

9 En quoi Chaval est-il déterminé par son milieu et correspond-il aux théories naturalistes sur le personnage (voir p. 30-31) ?

Écrire

Analyser des sensations

10 Vous avez, lors d'un effort physique intense (course, transport de poids…), senti les effets de l'épuisement. En quelques lignes, dites ce que vous avez éprouvé.

Rédiger un récit

11 Rédigez un récit dans lequel un personnage d'un caractère particulièrement bourru ou dur, dans des circonstances particulières, change soudainement d'attitude (sous la menace d'un danger, par exemple).

Débattre

12 Certains métiers sont encore interdits aux femmes ou difficiles d'accès pour elles : cherchez lesquels. Qu'est-ce qui peut expliquer cet état de choses ? Trouvez-vous cela normal ? Justifiez votre réponse lors d'un débat en classe.

Extrait 15

« Du pain ! Du pain ! Du pain ! »

Mais les grévistes, indignés de la trahison des mineurs qui ont repris le travail, viennent à Vandame, coupent les câbles, brisent les machines, éteignent les foyers des machines. Au fond, c'est l'affolement : les mineurs remontent les cent deux échelles – de sept mètres chacune –, dans une cohue qui manque de coûter la vie à Catherine, encore épuisée par son malaise.

La bande enragée des mineurs se rue maintenant de *fosse en fosse, à travers la campagne. De la grange où ils se sont réfugiés, l'ingénieur Négrel, Mme Hennebeau, femme du directeur de la fosse, Cécile Grégoire (extrait 8), les deux filles d'un autre propriétaire de mine, assistent à ce terrible cortège.

Le roulement de tonnerre approchait, la terre fut ébranlée, et Jeanlin galopa le premier, soufflant dans sa corne.

– Prenez vos flacons[1], la sueur du peuple qui passe ! murmura Négrel, qui, malgré ses convictions républicaines, aimait à
5 plaisanter la canaille[2] avec les dames.

Mais son mot spirituel fut emporté dans l'ouragan des gestes et des cris. Les femmes avaient paru, près d'un millier de femmes, aux cheveux épars, dépeignés par la course, aux guenilles montrant la peau nue, des nudités de femelles lasses
10 d'enfanter des meurt-de-faim. Quelques-unes tenaient leur petit entre les bras, le soulevaient, l'agitaient, ainsi qu'un drapeau de deuil et de vengeance. D'autres, plus jeunes, avec des gorges gonflées de guerrières, brandissaient des bâtons ;

| **1.** Flacons de parfum. | **2.** Le peuple, la populace.

tandis que les vieilles, affreuses, hurlaient si fort que les cordes
15 de leurs cous décharnés semblaient se rompre. Et les hommes
déboulèrent ensuite, deux mille furieux, des *galibots, des
*haveurs, des *raccommodeurs, une masse compacte qui
roulait d'un seul bloc, serrée, confondue, au point qu'on ne
distinguait ni les culottes déteintes, ni les tricots de laine en
20 loques, effacés dans la même uniformité terreuse. Les yeux
brûlaient, on voyait seulement les trous des bouches noires,
chantant *La Marseillaise*, dont les strophes se perdaient en un
mugissement confus, accompagné par le claquement des sabots
sur la terre dure. Au-dessus des têtes, parmi le hérissement des
25 barres de fer, une hache passa, portée toute droite ; et cette
hache unique, qui était comme l'étendard de la bande, avait,
dans le ciel clair, le profil aigu d'un couperet[3] de guillotine.

– Quels visages atroces ! balbutia Mme Hennebeau.

Négrel dit entre ses dents :

30 – Le diable m'emporte si j'en reconnais un seul ! D'où sortent-
ils donc, ces bandits-là ?

Et, en effet, la colère, la faim, ces deux mois de souffrance
et cette débandade enragée au travers des fosses, avaient
allongé en mâchoires de bêtes fauves les faces placides[4] des
35 houilleurs de Montsou. À ce moment, le soleil se couchait, les
derniers rayons, d'un pourpre[5] sombre, ensanglantaient la
plaine. Alors, la route sembla charrier du sang, les femmes,
les hommes continuaient à galoper, saignants comme des
bouchers en pleine tuerie.

40 – Oh ! superbe ! dirent à demi-voix Lucie et Jeanne[6], remuées
dans leur goût d'artistes par cette belle horreur.

Elles s'effrayaient pourtant, elles reculèrent près de Mme
Hennebeau, qui s'était appuyée sur une auge. L'idée qu'il

---

3. Lame.
4. Pacifiques, calmes.
5. Rouge foncé.

6. Filles de Deneulin, propriétaire indé-
pendant de la mine de Vandame.

suffisait d'un regard, entre les planches de cette porte dis-
45 jointe, pour qu'on les massacrât, la glaçait. Négrel se sentait
blêmir, lui aussi, très brave d'ordinaire, saisi là d'une épouvante supérieure à sa volonté, une de ces épouvantes qui souf-
flent de l'inconnu. Dans le foin, Cécile ne bougeait plus. Et
les autres, malgré leur désir de détourner les yeux, ne le
50 pouvaient pas, regardaient quand même.

C'était la vision rouge de la révolution qui les emporterait
tous, fatalement[7], par une soirée sanglante de cette fin de siècle.
Oui, un soir, le peuple lâché, débridé[8], galoperait ainsi sur les
chemins ; et il ruissellerait du sang des bourgeois, il promè-
55 nerait des têtes, il sèmerait l'or des coffres éventrés. Les femmes
hurleraient, les hommes auraient ces mâchoires de loups,
ouvertes pour mordre. Oui, ce seraient les mêmes guenilles,
le même tonnerre de gros sabots, la même cohue effroyable,
de peau sale, d'haleine empestée, balayant le vieux monde,
60 sous leur poussée débordante de barbares. Des incendies flam-
beraient, on ne laisserait pas debout une pierre des villes, on
retournerait à la vie sauvage dans les bois, après le grand rut,
la grande ripaille[9], où les pauvres, en une nuit, efflanqueraient
les femmes et videraient les caves des riches. Il n'y aurait plus
65 rien, plus un sou des fortunes, plus un titre des situations
acquises, jusqu'au jour où une nouvelle terre repousserait peut-
être. Oui, c'étaient ces choses qui passaient sur la route, comme
une force de la nature, et ils en recevaient le vent terrible au
visage.

70 Un grand cri s'éleva, domina *La Marseillaise* :
– Du pain ! du pain ! du pain !

Extrait de la cinquième partie, chapitre V.

| **7.** Sans qu'on puisse y échapper. | **8.** Libéré. | **9.** Repas surabondant.

Questions

Repérer et analyser

Le point de vue

1 De quel point de vue la scène est-elle décrite ? Aidez-vous du paratexte et de la seconde partie de l'extrait : qui désignent les pronoms « on » (l. 18 et 21) et « ils » (l. 68) ? Relevez les verbes du champ lexical de la vue.

L'originalité du naturalisme de Zola

La peinture de la foule

2 **a.** Quels groupes Zola décrit-il successivement ? Et à l'intérieur des groupes, quel est l'ordre d'apparition des personnages ?
b. Par quels procédés (vocabulaire, choix des verbes, choix des déterminants, …) le narrateur fait-il de cette foule un personnage collectif ?

La description

3 Le narrateur traite cette description comme aurait pu le faire :
– un sculpteur : quels termes évoquent des formes, des groupes ? Comparez *La Marseillaise* de Rude (p. 103) avec le texte de Zola ;
– un peintre : quels mots évoquent des formes, des lignes, des couleurs ? Lesquelles dominent ? Quelle est leur valeur symbolique ?
– un musicien : quels bruits sont évoqués ?
4 Quel est l'effet produit par ces procédés (voir questions 2 à 9) ?

Les procédés d'écriture épique

> Le *récit épique* se caractérise par l'amplification (des détails, des chiffres, des bruits et des couleurs…), la simplification (le narrateur donne une vision sans nuance des faits, des choses et des êtres), la symbolisation (les images ont une valeur symbolique). L'écriture épique vise à frapper l'imagination du lecteur.

5 Relevez les amplifications épiques et le champ lexical de la violence.
6 Montrez en citant le texte que le narrateur transforme :
– les femmes en guerrières et en bêtes ; quel est leur drapeau ?
– les hommes en minéral ou en bêtes ; quel est leur drapeau ?
7 Que symbolise la couleur noire (« les bouches noires ») ? la Marseillaise ou la hache ?

8 En quoi la nature s'harmonise-t-elle avec l'atmosphère du cortège et la rage des manifestants ?

Le rythme et les allitérations

On appelle *allitération* la répétition d'une même consonne. Les sonorités des mots, associées au sens, contribuent à produire un effet.

Exemple : « Pour qui sont ces serpents qui sifflent sur vos têtes ? » (*Andromaque*, Racine, XVIIe siècle) : le même son *s*, répété cinq fois, évoque le sifflement du serpent.

9 Analysez l'effet produit par le rythme des lignes 10 à 27 ?

10 Relevez quelques allitérations (l. 6 à 10, 12 à 15, 17-18, 21 à 25, 51-52) et dites quel est l'effet produit.

La progression du récit

11 **a.** Quelle est la réaction des bourgeois ?

b. Quelles perspectives s'ouvrent pour la suite de l'action ?

12 Quel membre de phrase, vers la fin, évoque le titre du roman ?

Enquêter

13 Écoutez *La Marseillaise* orchestrée par Berlioz. En quoi pourrait-elle servir d'illustration sonore au texte de Zola ? Justifiez votre réponse.

La Marseillaise de Rude (1784-1855). Haut-relief de l'Arc de Triomphe (1832-1835).

Extrait 16

« Prends garde !
il a son couteau ! »

Cette course effrénée se termine par l'attaque de l'épicerie et la mort de Maigrat, l'épicier impitoyable. Les gendarmes – prévenus par Chaval – dispersent les grévistes et Étienne doit se terrer au fond d'un puits de mine abandonné. Les Maheu connaissent un nouveau drame : leur petite fille, Alzire, une infirme, meurt de faim et de froid. Mi-février. Pour casser la grève qui dure depuis deux mois, la Compagnie fait appel à des mineurs venus de Belgique. Étienne, à la nuit tombée, s'est rendu chez le cabaretier Rasseneur, un ancien mineur licencié à la suite d'une grève. Étienne y discute de l'évolution de la situation avec Souvarine, un anarchiste russe, partisan d'une révolution violente. Tout à coup, Chaval entre dans le cabaret avec Catherine : il se vante de reprendre le travail au Voreux où il dirige une équipe de Belges. Le ton monte entre les deux rivaux et ils en viennent aux mains.

D'abord, ils ne se firent pas grand mal. Les moulinets tapageurs de l'un, l'attente froide de l'autre, prolongeaient la lutte. Une chaise fut renversée, leurs gros souliers écrasaient le sable blanc, semé sur les dalles. Mais ils s'essoufflèrent à la longue, 5 on entendit le ronflement de leur haleine, tandis que leur face rouge se gonflait comme d'un brasier intérieur, dont on voyait les flammes, par les trous clairs de leurs yeux.

– Touché ! hurla Chaval, atout sur ta carcasse !

En effet, son poing, pareil à un fléau[1] lancé de biais, 10 avait labouré l'épaule de son adversaire. Celui-ci retint un

---

| **1.** Instrument pour battre les céréales, composé de deux bâtons liés par une courroie.

grognement de douleur, il n'y eut qu'un bruit mou, la sourde
meurtrissure des muscles. Et il répondit par un coup droit en
pleine poitrine, qui aurait défoncé l'autre, s'il ne s'était garé,
dans ses continuels sauts de chèvre. Pourtant, le coup l'attei-
15 gnit au flanc gauche, si rudement encore, qu'il chancela, la
respiration coupée. Une rage le prit, de sentir ses bras mollir
dans la souffrance, et il rua comme une bête, il visa le ventre
pour le crever du talon.

– Tiens ! à tes tripes ! bégaya-t-il de sa voix étranglée. Faut
20 que je les dévide au soleil !

Étienne évita le coup, si indigné de cette infraction[2] aux
règles d'un combat loyal, qu'il sortit de son silence.

– Tais-toi donc, brute ! Et pas les pieds, nom de Dieu ! ou je
prends une chaise pour t'assommer !

25 Alors, la bataille s'aggrava. Rasseneur, révolté, serait inter-
venu de nouveau, sans le regard sévère de sa femme, qui le
maintenait : est-ce que deux clients n'avaient pas le droit de
régler une affaire chez eux ? Il s'était mis simplement devant
la cheminée, car il craignait de les voir se culbuter dans le
30 feu. Souvarine, de son air paisible, avait roulé une cigarette,
qu'il oubliait cependant d'allumer. Contre le mur, Catherine
restait immobile ; ses mains seules, inconscientes, venaient
de monter à sa taille ; et, là, elles s'étaient tordues, elles arra-
chaient l'étoffe de sa robe, dans des crispations régulières.
35 Tout son effort était de ne pas crier, de ne pas en tuer un, en
criant sa préférence, si éperdue d'ailleurs, qu'elle ne savait
même plus qui elle préférait.

Bientôt, Chaval s'épuisa, inondé de sueur, tapant au hasard.
Malgré sa colère, Étienne continuait à se couvrir, parait presque
40 tous les coups, dont quelques-uns l'éraflaient. Il eut l'oreille
fendue, un ongle lui emporta un lambeau du cou, et dans

| **2.** Manquement à un règlement, violation d'une loi.

une telle cuisson, qu'il jura à son tour, en lançant un de ses terribles coups droits. Une fois encore, Chaval gara sa poitrine d'un saut ; mais il s'était baissé, le poing l'atteignit au visage,
45 écrasa le nez, enfonça un œil. Tout de suite, un jet de sang partit des narines, l'œil enfla, se tuméfia[3], bleuâtre. Et le misérable, aveuglé par ce flot rouge, étourdi de l'ébranlement de son crâne, battait l'air de ses bras égarés, lorsqu'un autre coup, en pleine poitrine enfin, l'acheva. Il y eut un craquement, il
50 tomba sur le dos, de la chute lourde d'un sac de plâtre qu'on décharge.

Étienne attendit.

– Relève-toi. Si tu en veux encore, nous allons recommencer.

Sans répondre, Chaval, après quelques secondes d'hébéte-
55 ment[4], se remua par terre, détira ses membres. Il se ramassait avec peine, il resta un instant sur les genoux, en boule, faisant de sa main, au fond de sa poche, une besogne qu'on ne voyait pas. Puis, quand il fut debout, il se rua de nouveau, la gorge gonflée d'un hurlement sauvage.

60 Mais Catherine avait vu ; et, malgré elle, un grand cri lui sortit du cœur et l'étonna, comme l'aveu d'une préférence ignorée d'elle-même.

– Prends garde ! il a son couteau !

Étienne n'avait eu que le temps de parer le premier coup
65 avec son bras. La laine du tricot fut coupée par l'épaisse lame, une de ces lames qu'une virole[5] de cuivre fixe dans un manche de buis[6]. Déjà, il avait saisi le poignet de Chaval, une lutte effrayante s'engagea, lui se sentant perdu s'il lâchait, l'autre donnant des secousses, pour se dégager et frapper. L'arme
70 s'abaissait peu à peu, leurs membres raidis se fatiguaient, deux fois Étienne eut la sensation froide de l'acier contre sa peau ;

---

3. S'enfla, grossit anormalement.
4. Ahurissement.

5. Petite bague de métal qui sert à fixer une pièce à un manche.
6. Bois de couleur jaune.

et il dut faire un effort suprême, il broya le poignet dans une telle étreinte, que le couteau glissa de la main ouverte. Tous deux s'étaient jetés par terre, ce fut lui qui le ramassa, qui le
75 brandit à son tour. Il tenait Chaval renversé sous son genou, il menaçait de lui ouvrir la gorge.

– Ah ! nom de Dieu de traître, tu vas y passer !

Une voix abominable, en lui, l'assourdissait. Cela montait de ses entrailles, battait dans sa tête à coups de marteau, une
80 brusque folie du meurtre, un besoin de goûter au sang. Jamais la crise ne l'avait secoué ainsi. Pourtant, il n'était pas ivre. Et il luttait contre le mal héréditaire, avec le frisson désespéré d'un furieux d'amour qui se débat au bord du viol. Il finit par se vaincre, il lança le couteau derrière lui, en balbutiant
85 d'une voix rauque :

– Relève-toi, va-t'en !

Extrait de la sixième partie, chapitre III.

Questions

Repérer et analyser

Une scène romanesque : la scène de bagarre

1 **a.** Délimitez les différents moments de la lutte. Relevez les indications de temps qui rythment la scène et les deux expressions qui marquent une intensification de la lutte.

b. À quelle ligne s'effectue un renversement de situation ?

2 Relevez les paroles rapportées directement. Qui parle au début, puis dans la seconde partie ? En quoi est-ce significatif ?

3 **a.** Relevez le champ lexical de la violence et du mouvement.

b. Relevez les termes exprimant des bruits. De quels types de bruits s'agit-il ?

c. Sur quels détails le narrateur opère-t-il des gros plans ? Quel est l'effet produit par l'ensemble ?

4 Quelles sont les réactions des autres personnages ?

Les personnages

Étienne

5 Montrez, en citant le texte, qu'Étienne, conformément à la théorie naturaliste du personnage, voit ressurgir en lui son hérédité (p. 30).

a. Quels instincts ressortent en lui (citez deux expressions précises) ?

b. Étienne est-il totalement victime de son hérédité ou y échappe-t-il en partie ? Justifiez votre réponse.

c. Quel trait de caractère les deux répliques lignes 53 et 86 révèlent-elles ? Cherchez dans le premier tiers du texte une expression qui explicite ce trait.

Chaval

6 Comparez-le avec le Chaval de l'extrait 14 (p. 93). En quoi est-il différent ici ? Pourquoi ? Quels traits de son caractère se confirment ?

Catherine

7 **a.** En quoi cette bagarre révèle-t-elle Catherine à elle-même ?

b. À quelle ligne le lecteur apprend-il qui est le réel vainqueur de la rivalité amoureuse ? Grâce à quels indices le lecteur le pressentait-il ?

c. Quel est son sentiment face à cette révélation à elle-même ?

L'originalité du naturalisme de Zola

La force des images

8 Relevez et analysez les comparaisons et métaphores qui caractérisent les personnages et les coups qu'ils se portent. Classez ces images par domaines (monde agricole, industriel, animal…).

La progression du récit

9 Qui remporte le combat ? Relisez les épisodes qui présentent un affrontement entre Chaval et Étienne (extraits 6, 10, 13 et 14). En quoi ce dernier affrontement est-il plus tendu que les autres ?

Comparer

Avec une scène de film

10 **a.** Connaissez-vous des films où le cinéaste a exploité la force dramatique d'une lutte à l'arme blanche (couteau, épée…) ?
(Quelques titres : *Les 7 mercenaires* ; *Le bon, la brute et le truand*…)
b. Recherchez d'autres scènes de ce type. Analysez-en les plans et les moyens cinématographiques de la dramatisation (voir p. 15).

Avec une scène de *Carmen* (Mérimée)

11 Le Brigadier Don José est tombé amoureux de la belle bohémienne Carmen alors qu'il est chargé de l'arrêter à la suite d'une rixe à laquelle elle a participé. Il la laisse s'échapper, puis la rejoint dans le camp de contrebandiers qu'elle fréquente. Don José est jaloux du « rom » (= mari) de Carmen, Garcia le Borgne, « le plus vilain monstre que la Bohême ait nourri » ; « noir de peau et plus noir d'âme, c'était le plus franc scélérat que j'aie rencontré dans ma vie », raconte Don José. « Carmen vint avec lui ; et, lorsqu'elle l'appelait son rom devant moi, il fallait voir les yeux qu'elle me faisait et ses grimaces quand Garcia tournait la tête. J'étais indigné, et je ne lui parlais pas de la nuit… » Un soir…

« Je retournai à notre rendez-vous, sachant le lieu et l'heure où l'Anglais et Carmen devaient passer. Je trouvai le Dancaïre[1] et Garcia qui m'attendaient. Nous passâmes la nuit dans un bois

---

1. Mot espagnol signifiant « qui joue avec l'argent d'autrui » ;
ici, nom donné au chef des contrebandiers que fréquente Carmen.

auprès d'un feu de pommes de pin qui flambait à merveille. Je proposai à Garcia de jouer aux cartes. Il accepta. À la seconde partie je lui dis qu'il trichait ; il se mit à rire. Je lui jetai les cartes à la figure. Il voulut prendre son espingole[2] ; je mis le pied dessus, et je lui dis : « On dit que tu sais jouer du couteau comme le meilleur jaque[3] de Malaga[4] ; veux-tu t'essayer avec moi ? » Le Dancaïre voulut nous séparer. J'avais donné deux ou trois coups de poing à Garcia. La colère l'avait rendu brave ; il avait tiré son couteau, moi le mien. Nous dîmes tous deux au Dancaïre de nous laisser place libre et franc jeu. Il vit qu'il n'y avait pas moyen de nous arrêter, et il s'écarta. Garcia était déjà ployé en deux comme un chat prêt à s'élancer contre une souris. Il tenait son chapeau de la main gauche pour parer, son couteau en avant. C'est leur garde andalouse. Moi, je me mis à la navarraise[5], droit en face de lui, le bras gauche levé, la jambe gauche en avant, le couteau le long de la cuisse droite. Je me sentais plus fort qu'un géant. Il se lança sur moi comme un trait ; je tournai sur le pied gauche et il ne trouva plus rien devant lui ; mais je l'atteignis à la gorge, et le couteau entra si avant que ma main était sous le menton. Je retournai la lame si fort qu'elle se cassa. C'était fini. La lame sortit de la plaie, lancée par un bouillon de sang gros comme le bras. Il tomba sur le nez, raide comme un pieu.

– Qu'as-tu fait ? me dit le Dancaïre.

Écoute, lui dis-je : nous ne pouvions vivre ensemble. J'aime Carmen, et je veux être seul. »

Prosper Mérimée, Carmen (1845).

a. Quelles sont les ressemblances entre ce texte et l'extrait 16 de *Germinal* (situation ? personnages ? armes ? utilisation d'images) ? Quelles sont les différences entre ces deux textes ? Étudiez notamment leur tonalité et leur effet dramatique. Montrez que l'extrait de Mérimée se rattache au courant réaliste.

b. Les deux textes vous semblent-ils avoir les mêmes fonctions ?

---

2. Fusil à canon court, gros, évasé par le haut, chargé à chevrotines.
3. Homme du peuple.

4. Ville d'Andalousie.
5. À la manière des habitants de Navarre, région d'Espagne.

Extrait 17

« Ils avaient tiré »

La troupe est là pour protéger la descente des mineurs belges ;
les grévistes commencent à jeter des briques aux soldats.

Mais la grêle des briques devenait plus drue, les hommes s'y
mettaient, à l'exemple des femmes.

Alors, la Maheude s'aperçut que Maheu demeurait en
arrière. Il avait les mains vides, l'air sombre.

5 — Qu'est-ce que tu as, dis ? cria-t-elle. Est-ce que tu les lâches ?
Est-ce que tu vas laisser conduire tes camarades en prison ?…
Ah ! si je n'avais pas cette enfant, tu verrais !

Estelle, qui s'était cramponnée à son cou en hurlant, l'em-
pêchait de se joindre à la Brûlé et aux autres. Et, comme son
10 homme ne semblait pas entendre, elle lui poussa du pied des
briques dans les jambes.

— Nom de Dieu ! veux-tu prendre ça ! Faut-il que je te crache
à la figure devant le monde, pour te donner du cœur.

Redevenu très rouge, il cassa des briques, il les jeta. Elle le
15 cinglait, l'étourdissait, aboyait derrière lui des paroles de mort,
en étouffant sa fille sur sa gorge, dans ses bras crispés ; et il
avançait toujours, il se trouva en face des fusils.

Sous cette rafale de pierres, la petite troupe disparaissait.
Heureusement, elles tapaient trop haut, le mur en était criblé.
20 Que faire ? L'idée de rentrer, de tourner le dos empourpra un
instant le visage pâle du capitaine ; mais ce n'était même plus
possible, on les écharperait[1], au moindre mouvement. Une
brique venait de briser la visière de son képi, des gouttes de
sang coulaient de son front. Plusieurs de ses hommes étaient
25 blessés ; et il les sentait hors d'eux, dans cet instinct débridé

| **1.** On les mettrait en pièces.

de la défense personnelle, où l'on cesse d'obéir aux chefs. Le sergent avait lâché un nom de Dieu ! l'épaule gauche à moitié démontée, la chair meurtrie par un choc sourd, pareil à un coup de battoir dans du linge. Éraflée à deux reprises, la recrue[2]
30 avait un pouce broyé, tandis qu'une brûlure l'agaçait au genou droit : est-ce qu'on se laisserait embêter longtemps encore ? Une pierre ayant ricoché et atteint le vieux chevronné[3] sous le ventre, ses joues verdirent, son arme trembla, s'allongea, au bout de ses bras maigres. Trois fois, le capitaine fut sur le
35 point de commander le feu. Une angoisse l'étranglait, une lutte interminable de quelques secondes heurta en lui des idées, des devoirs, toutes ses croyances d'homme et de soldat. La pluie des briques redoublait, et il ouvrit la bouche, il allait crier : Feu ! lorsque les fusils partirent d'eux-mêmes, trois coups
40 d'abord, puis cinq, puis un roulement de peloton, puis un coup tout seul, longtemps après, dans le grand silence.

Ce fut une stupeur. Ils avaient tiré, la foule béante restait immobile, sans le croire encore. Mais les cris déchirants s'élevèrent, tandis que le clairon sonnait la cessation du feu. Et il
45 y eut une panique folle, un galop de bétail mitraillé, une fuite éperdue dans la boue.

Bébert et Lydie s'étaient affaissés l'un sur l'autre, aux trois premiers coups, la petite frappée à la face, le petit troué audessous de l'épaule gauche. Elle, foudroyée, ne bougeait plus.
50 Mais lui, remuait, la saisissait à pleins bras, dans les convulsions de l'agonie, comme s'il eût voulu la reprendre, ainsi qu'il l'avait prise, au fond de la cachette noire, où ils venaient de passer leur nuit dernière. Et Jeanlin, justement, qui accourait enfin de Réquillart[4], bouffi de sommeil, gambillant[5] au milieu
55 de la fumée, le regarda étreindre sa petite femme, et mourir.

Les cinq autres coups avaient jeté bas la Brûlé et le *porion Richomme. Atteint dans le dos, au moment où il suppliait

---

2. Soldat qui vient d'être recruté.   **4.** Fosse désaffectée dont Jeanlin a fait son repaire.
3. Qui a des galons d'ancienneté.   **5.** Sautillant.

les camarades, il était tombé à genoux ; et, glissé sur une hanche, il râlait par terre, les yeux pleins de larmes qu'il avait
60 pleurées. La vieille, la gorge ouverte, s'était abattue toute raide et craquante comme un fagot de bois sec, en bégayant un dernier juron dans le gargouillement du sang.

Mais alors le feu de peloton balayait le terrain, fauchait à cent pas les groupes de curieux qui riaient de la bataille. Une
65 balle entra dans la bouche de Mouquet, le renversa, fracassé, aux pieds de Zacharie et de Philomène, dont les deux mioches furent couverts de gouttes rouges. Au même instant, la Mouquette recevait deux balles dans le ventre. Elle avait vu les soldats épauler, elle s'était jetée d'un mouvement instinctif
70 de bonne fille, devant Catherine, en lui criant de prendre garde ; et elle poussa un grand cri, elle s'étala sur les reins, culbutée par la secousse. Étienne accourut, voulut la relever, l'emporter ; mais, d'un geste, elle disait qu'elle était finie. Puis, elle hoqueta, sans cesser de leur sourire à l'un et à l'autre, comme si elle était
75 heureuse de les voir ensemble, maintenant qu'elle s'en allait.

Tout semblait terminé, l'ouragan des balles s'était perdu très loin, jusque dans les façades du *coron, lorsque le dernier coup partit, isolé, en retard.

Maheu, frappé en plein cœur, vira sur lui-même et tomba
80 la face dans une flaque d'eau, noire de charbon.

Stupide, la Maheude se baissa.

– Eh ! mon vieux, relève-toi. Ce n'est rien, dis ?

Les mains gênées par Estelle, elle dut la mettre sous un bras, pour retourner la tête de son homme.
85 – Parle donc ! où as-tu mal ?

Il avait les yeux vides, la bouche baveuse d'une écume sanglante. Elle comprit, il était mort. Alors, elle resta assise dans la crotte, sa fille sous le bras comme un paquet, regardant son vieux d'un air hébété.
90 La *fosse était libre.

Extrait de la sixième partie, chapitre V.

Questions

Repérer et analyser

La progression dramatique

1 **a.** Par quels procédés (expressions, tournures de phrases…) le narrateur rend-il compte de l'exaspération croissante de la troupe ?
b. Relevez les expressions qui montrent les hésitations du capitaine. En quoi contribuent-elles au « suspense » ?

2 Cet épisode est décomposé en deux mouvements : les coups de feu (l. 39 à 41) et les victimes (l. 47 à 80). Quel est l'effet produit par ce décalage ? Quelles sont les différentes victimes ?

3 **a.** Ce texte pourrait-il être la fin du roman ? Justifiez votre réponse.
b. Quelles questions restent en suspens : dans le domaine social ? dans le destin des personnages (intrigue amoureuse) ?

Les forces en présence

4 **a.** Relevez les mots, expressions, verbes d'action qui traduisent le comportement des mineurs.
b. Le capitaine et les soldats sont-ils responsables du massacre ?
c. Quel jugement portez-vous sur le capitaine ?

5 Relevez les contrastes qui accentuent l'horreur et l'émotion tout au long de cette scène (âges, mouvements et attitudes des victimes, paroles, réactions des « spectateurs » et horreur du drame auquel ils assistent).

6 Quels termes rendent sensible la brutalité de cette scène ?

7 **a.** « Tout semblait terminé » (l. 76) : comment la mort de Maheu est-elle rendue plus frappante, dramatique et injuste ?
b. Relevez l'expression qui montre que Maheu, jusque dans la mort, est profondément lié à la mine.

8 Montrez, en marquant bien les coupes, que le rythme de la phrase de la ligne 76 à 78 rend compte de la stupeur, de la surprise.

Le personnage de la Maheude et la visée

9 **a.** En quoi La Maheude a-t-elle évolué par rapport aux extraits 8 et 9 ? Comment expliquez-vous cette transformation ?
b. Quelle est la visée de ce passage ?

Extrait 18

« Une fureur de destruction »

Les ouvriers n'en peuvent plus et ils s'inclinent. Parmi les premiers à redescendre, vaincus, Étienne et Catherine. Mais Souvarine, le réfugié russe anarchiste[1], partisan d'une révolution totale, rêve d'une extermination générale : il a décidé de frapper un grand coup en sabotant le *cuvelage du puits de mine.

Lorsque minuit sonna, il quitta la berge et se dirigea vers le Voreux.

À ce moment, la fosse était vide, il n'y rencontra qu'un *porion, les yeux gros de sommeil. On devait chauffer seule-
5 ment à deux heures, pour la reprise du travail. D'abord, il monta prendre au fond d'une armoire une veste qu'il feignait d'avoir oubliée. Des outils, un vilebrequin[2] armé de sa mèche, une petite scie très forte, un marteau et un ciseau, se trouvaient roulés dans cette veste. Puis, il repartit. Mais, au lieu de sortir
10 par la baraque, il enfila l'étroit couloir qui menait au goyot[3] des échelles. Et, sa veste sous le bras, il descendit doucement, sans lampe, mesurant la profondeur en comptant les échelles. Il savait que la *cage frottait à trois cent soixante-quatorze mètres, contre la cinquième passe du cuvelage inférieur. Quand
15 il eut compté cinquante-quatre échelles, il tâta de la main, il sentit le renflement des pièces de bois. C'était là.

Alors, avec l'adresse et le sang-froid d'un bon ouvrier qui a longtemps médité sur sa besogne, il se mit au travail. Tout de suite, il commença par scier un panneau dans la cloison

---

1. Partisan de l'anarchisme, conception politique visant à supprimer tout pouvoir, toute contrainte sur l'individu.
2. Outil formé d'une mèche que l'on fait tourner à l'aide d'une manivelle et qui sert à percer des trous.
3. Boyau vertical le long d'un puits pour le passage de l'air et des tuyaux.

20 du goyot, de manière à communiquer avec le compartiment d'extraction. Et, à l'aide d'allumettes vivement enflammées et éteintes, il put se rendre compte de l'état du cuvelage et des réparations récentes qu'on y avait faites.[...]

Souvarine, à cheval dans l'ouverture pratiquée par lui,
25 constata une déformation très grave de la cinquième passe du cuvelage. Les pièces de bois faisaient ventre, en dehors des cadres ; plusieurs même étaient sorties de leur épaulement. Des filtrations abondantes, des « pichoux », comme disent les mineurs, jaillissaient des joints, au travers du brandissage
30 d'étoupes[4] goudronnées dont on les garnissait. Et les charpentiers, pressés par le temps, s'étaient contentés de poser aux angles des équerres de fer, avec une telle insouciance, que toutes les vis n'étaient pas mises. Un mouvement considérable se produisait évidemment derrière, dans les sables du Torrent.

35 Alors, avec son vilebrequin, il desserra les vis des équerres, de façon à ce qu'une dernière poussée pût les arracher toutes. C'était une besogne de témérité folle, pendant laquelle il manqua vingt fois de culbuter, de faire le saut des cent quatre-vingts mètres qui le séparaient du fond. Il avait dû empoi-
40 gner les guides de chêne, les madriers[5] où glissaient les cages ; et, suspendu au-dessus du vide, il voyageait le long des traverses dont ils étaient reliés de distance en distance, il se coulait, s'asseyait, se renversait, simplement arc-bouté sur un coude ou sur un genou, dans un tranquille mépris de la mort. Un souffle
45 l'aurait précipité, à trois reprises il se rattrapa, sans un frisson. D'abord, il tâtait de la main, puis il travaillait, n'enflammant une allumette que lorsqu'il s'égarait, au milieu de ces poutres gluantes. Après avoir desserré les vis, il s'attaqua aux pièces mêmes ; et le péril grandit encore. Il avait cherché la clef, la

4. Dispositif qui assure l'étanchéité entre les planches, constitué de filasse (amas de filaments tirés de l'écorce de chanvre).
5. Planches très épaisses.

pièce qui tenait les autres ; il s'acharnait contre elle, la trouait, la sciait, l'amincissait, pour qu'elle perdît de sa résistance ; tandis que, par les trous et les fentes, l'eau qui s'échappait en jets minces l'aveuglait et le trempait d'une pluie glacée. Deux allumettes s'éteignirent. Toutes se mouillaient, c'était la nuit, une profondeur sans fond de ténèbres.

Dès ce moment, une rage l'emporta. Les haleines de l'invisible le grisaient, l'horreur noire de ce trou battu d'une averse le jetait à une fureur de destruction. Il s'acharna au hasard contre le cuvelage, tapant où il pouvait, à coups de vilebrequin, à coups de scie, pris du besoin de l'éventrer tout de suite sur sa tête. Et il y mettait une férocité, comme s'il eût joué du couteau dans la peau d'un être vivant, qu'il exécrait. Il la tuerait à la fin, cette bête mauvaise du Voreux, à la gueule toujours ouverte, qui avait englouti tant de chair humaine ! On entendait la morsure de ses outils, son échine s'allongeait, il rampait, descendait, remontait, se tenant encore par miracle, dans un branle continu, un vol d'oiseau nocturne au travers des charpentes d'un clocher.

Mais il se calma, mécontent de lui. Est-ce qu'on ne pouvait faire les choses froidement ? Sans hâte, il souffla, il rentra dans le goyot des échelles, dont il boucha le trou, en replaçant le panneau qu'il avait scié. C'était assez, il ne voulait pas donner l'éveil par un dégât trop grand, qu'on aurait tenté de réparer tout de suite. La bête avait sa blessure au ventre, on verrait si elle vivait encore le soir ; et il avait signé, le monde épouvanté saurait qu'elle n'était pas morte de sa belle mort. Il prit le temps de rouler méthodiquement les outils dans sa veste, il remonta les échelles avec lenteur. Puis, quand il fut sorti de la fosse sans être vu, l'idée d'aller changer de vêtements ne lui vint même pas. Trois heures sonnaient. Il resta planté sur la route, il attendit.

En pleine nuit, une secousse ébranle la terre, c'est la panique.

Et brusquement, comme les ingénieurs s'avançaient avec prudence, une suprême convulsion du sol les mit en fuite. Des détonations souterraines éclataient, toute une artillerie mons-
85 trueuse canonnant le gouffre. À la surface, les dernières constructions culbutaient, s'écrasaient. D'abord, une sorte de tourbillon emporta les débris du criblage et de la salle de *recette. Le bâtiment des chaudières creva ensuite, disparut. Puis, ce fut la tourelle carrée où râlait la pompe d'épuisement,
90 qui tomba sur la face, ainsi qu'un homme fauché par un boulet. Et l'on vit alors une effrayante chose, on vit la machine, dislo-quée sur son massif, les membres écartelés, lutter contre la mort : elle marcha, elle détendit sa bielle, son genou de géante, comme pour se lever ; mais elle expirait, broyée, engloutie.
95 Seule, la haute cheminée des trente mètres restait debout, secouée, pareille à un mât dans l'ouragan. On croyait qu'elle allait s'émietter et voler en poudre, lorsque, tout d'un coup, elle s'enfonça d'un bloc, bue par la terre, fondue ainsi qu'un cierge colossal ; et rien ne dépassait, pas même la pointe d'un
100 paratonnerre. C'était fini, la bête mauvaise, accroupie dans le creux, gorgée de chair humaine, ne soufflait plus de son haleine grosse et longue. Tout entier, le Voreux venait de couler à l'abîme.

Extrait de la septième partie, chapitres II et III.

Repérer et analyser

La tension dramatique et le point de vue

1 Relevez les indications de temps qui rythment le passage. À quel moment de la journée cette scène se déroule-t-elle ? Quelle est sa durée ?

2 Analysez l'état psychologique de Souvarine dans ce passage. À quelles lignes la tension psychologique devient-elle plus violente ?

3 Par quels procédés le narrateur crée-t-il un effet de tension dramatique (l. 35 à 55 et 82 à 103) ?

4 À quelles lignes le narrateur transcrit-il les pensées de Souvarine ? Par quel procédé les rapporte-t-il (style direct, indirect, indirect libre) ?

Un personnage : Souvarine

5 Quels passages indiquent que Souvarine connaît bien la mine ? Relevez des expressions qui montrent sa méticulosité, sa minutie.

6 **a.** Dans ce passage à l'acte, Souvarine agit-il en toute connaissance de cause et de sang-froid (référez-vous notamment au premier paragraphe de l'extrait) ?

b. Quelle est la réaction de Souvarine une fois son œuvre accomplie ? Quel est l'effet produit ?

7 **a.** Souvarine sert-il la cause des mineurs ?

b. Peut-on dire que Souvarine est un héros ? Justifiez votre réponse.

Le roman naturaliste

8 Relevez les termes techniques, en les classant : les outils, les parties de la mine, les précisions chiffrées.

L'originalité du naturalisme de Zola

La dimension épique et symbolique

9 Relevez les expressions qui assimilent Souvarine à des animaux.

10 **a.** À partir de la ligne 61, relevez les termes par lesquels le narrateur animalise ou personnifie le Voreux.

b. En quoi le rythme des phrases (l. 91 à 96) contribue-t-il à décrire l'agonie du Voreux ?

11 Relevez le champ lexical de la destruction.

12 À quel monstre mythologique vivant dans un labyrinthe le Voreux est-il assimilé ?

La visée

13 Quelle est la portée romanesque, symbolique et politique de cette scène ?

Enquêter

L'anarchisme et le terrorisme au XIXᵉ siècle

14 **a.** Souvarine est un personnage inspiré de la réalité de l'époque : de nombreux attentats anarchistes avaient eu lieu en Russie, dont les journaux français se faisaient l'écho. Les anarchistes fascinaient le public. Recherchez quels attentats ou tentatives d'attentats terroristes ont eu lieu en Russie en 1878, 1879, 1887 (mars).

Cependant, en 1866 (époque où se déroule l'action de *Germinal*) et même en 1885 (date de composition du roman), il n'y avait encore jamais eu en France d'attentats anarchistes. Le personnage de Souvarine et son combat contre le Voreux sont donc totalement inventés par Zola et, à la limite, anachroniques (c'est-à-dire invraisemblables dans le contexte du roman). En cela, Zola s'écarte des principes du réalisme (voir p. 5).

b. Recherchez des exemples d'actes terroristes au XXᵉ siècle. Selon vous, y a-t-il des circonstances où de tels actes puissent se justifier ?

Écrire

Rédiger un récit

15 Imaginez qu'aujourd'hui Souvarine tente de saboter une usine, un train ou autre. Faites le récit de l'épisode : utilisez le lexique de la destruction et décrivez l'état psychologique du personnage.

Extrait 19

« Et ce fut enfin leur nuit de noces »

Étienne et Catherine n'ont pu sortir du puits. Chaval aussi a survécu au désastre. Dans un ultime affrontement, Étienne tue son rival, mais la situation des deux survivants est désespérée. C'est pourtant le moment où l'un et l'autre cèdent à l'amour qu'ils n'ont jamais osé s'avouer.

L'image de Chaval la hantait, et elle parlait de lui confusément, elle racontait leur existence de chien, le seul jour où il s'était montré gentil, à Jean-Bart, les autres jours de sottises et de gifles, quand il la tuait de ses caresses, après l'avoir rouée
5 de coups.

– Je te dis qu'il vient, qu'il va nous empêcher encore d'aller ensemble !... Ça le reprend, sa jalousie... Oh ! renvoie-le, oh ! garde-moi toute entière !

D'un élan, elle s'était pendue à lui, elle chercha sa bouche
10 et y colla passionnément la sienne. Les ténèbres s'éclairèrent, elle revit le soleil, elle retrouva un rire calmé d'amoureuse. Lui, frémissant de la sentir ainsi contre sa chair, demie-nue sous la veste et la culotte en lambeaux, l'empoigna, dans un réveil de sa virilité. Et ce fut enfin leur nuit de noces, au fond
15 de cette tombe, sur ce lit de boue, le besoin de ne pas mourir avant d'avoir eu leur bonheur, l'obstiné besoin de vivre, de faire de la vie une dernière fois. Ils s'aimèrent dans le désespoir de tout, dans la mort.

Ensuite, il n'y eut plus rien. Étienne était assis par terre,
20 toujours dans le même coin, et il avait Catherine sur les genoux, couchée, immobile. Des heures, des heures s'écoulèrent. Il crut

longtemps qu'elle dormait; puis, il la toucha, elle était très
froide, elle était morte. Pourtant, il ne remuait pas, de peur de
la réveiller. L'idée qu'il l'avait eue femme le premier, et qu'elle
25 pouvait être grosse, l'attendrissait. D'autres idées, l'envie de
partir avec elle, la joie de ce qu'ils feraient tous les deux plus
tard, revenaient par moments, mais si vagues, qu'elles
semblaient effleurer à peine son front, comme le souffle même
du sommeil. Il s'affaiblissait, il ne lui restait que la force d'un
30 petit geste, un lent mouvement de la main, pour s'assurer
qu'elle était bien là, ainsi qu'une enfant endormie, dans sa
raideur glacée. Tout s'anéantissait, la nuit elle-même avait
sombré, il n'était nulle part, hors de l'espace, hors du temps.
Quelque chose tapait bien à côté de sa tête, des coups dont la
35 violence se rapprochait; mais il avait eu d'abord la paresse
d'aller répondre, engourdi d'une fatigue immense; et, à présent,
il ne savait plus, il rêvait seulement qu'elle marchait devant
lui et qu'il entendait le léger claquement de ses sabots. Deux
jours se passèrent, elle n'avait pas remué, il la touchait de
40 son geste machinal, rassuré de la sentir si tranquille.

Étienne ressentit une secousse. Des voix grondaient, des
roches roulaient jusqu'à ses pieds. Quand il aperçut une
lampe, il pleura. Ses yeux clignotants suivaient la lumière, il
ne se lassait pas de la voir, en extase devant ce point rougeâtre
45 qui tachait à peine les ténèbres. Mais des camarades l'em-
portaient, il les laissa introduire, entre ses dents serrées, des
cuillerées de bouillon. Ce fut seulement dans la galerie de
Réquillart qu'il reconnut quelqu'un, l'ingénieur Négrel,
debout devant lui; et ces deux hommes qui se méprisaient,
50 l'ouvrier révolté, le chef sceptique, se jetèrent au cou l'un de
l'autre, sanglotèrent à grands sanglots, dans le bouleversement profond de toute l'humanité qui était en eux. C'était
une tristesse immense, la misère des générations, l'excès de
douleur où peut tomber la vie.

⁵⁵   Au jour, la Maheude, abattue près de Catherine morte, jeta
un cri, puis un autre, puis un autre, de grandes plaintes très
longues, incessantes. Plusieurs cadavres étaient déjà remontés
et alignés par terre : Chaval que l'on crut assommé sous un
éboulement, un *galibot et deux *haveurs également fracassés,
⁶⁰ le crâne vide de cervelle, le ventre gonflé d'eau. Des femmes,
dans la foule, perdaient la raison, déchiraient leurs jupes,
s'égratignaient la face. Lorsqu'on le sortit enfin, après l'avoir
habitué aux lampes et nourri un peu, Étienne apparut
décharné, les cheveux tout blancs ; et on s'écartait, on frémis
⁶⁵ sait devant ce vieillard. La Maheude s'arrêta de crier, pour le
regarder stupidement, de ses grands yeux fixes.

Extrait de la septième partie, chapitre V.

Questions

Repérer et analyser

Le traitement du temps

> Le narrateur oppose le bref et unique moment d'amour entre Catherine et Étienne et une durée indéfinie où le *temps* s'abolit progressivement.

1 Relevez les expressions qui traduisent la durée indéfinie et l'abolition du temps. Quel est le temps verbal utilisé ?

2 Trouvez, dans les lignes 22 à 47, une phrase dont le rythme rend particulièrement bien compte de l'état de demi-inconscience dans lequel se trouve Étienne.

Le point de vue

3 Le narrateur varie les points de vue : dans quels passages précis la narration est-elle faite du point de vue d'Étienne ? de Catherine ? d'autres points de vue ? Précisez lesquels.

Une scène romanesque

La scène d'amour

4 Montrez, en citant le texte, que les « noces » de Catherine et d'Étienne sont racontées de façon allusive et avec une grande retenue.

5 **a.** Relevez dans les lignes 9 à 21, les termes qui marquent la force de la passion d'Étienne et de Catherine.

b. Dans les lignes 22 à 47, l'amour d'Étienne continue à se manifester. De quelle façon ? Relevez des expressions qui le montrent.

6 Quelle est la tonalité de ce passage ? En quoi cette scène d'amour diffère-t-elle des scènes d'amour traditionnelles ?

La mort d'un personnage

7 Relevez la phrase qui rapporte la mort de Catherine. Par quels procédés (lexique, rythme) le narrateur ménage-t-il un effet de surprise ? Par quelles expressions la mort de Catherine était-elle préparée ?

8 Dans ces noces funèbres (l. 9 à 47), est-ce la vie ou la mort qui vous semble avoir le dernier mot ? Justifiez votre réponse.

La scène du sauvetage

9 Relevez les phrases qui préparent le coup de théâtre de l'arrivée des sauveteurs.

10 Relevez les contrastes entre cette scène et celle qui précède (intensité sonore et lumineuse, rythme des actions, nombre de personnages…).

11 Étienne et Négrel « se jetèrent au cou l'un de l'autre » (l. 50-51). Quel jugement le narrateur porte-t-il sur la réaction des deux hommes ?

12 **a.** Comment expliquez-vous qu'Étienne soit devenu un « vieillard » (l. 65) ?
b. Quel sens symbolique peut avoir cette brusque métamorphose ?

Écrire

Changer de point de vue

13 Étienne raconte à la Maheude les derniers moments de sa fille Catherine, en essayant d'atténuer son chagrin.

Adapter un texte au cinéma

Les différents plans d'une scène

14 **a.** Le narrateur multiplie et diversifie les plans : effectuez le découpage plan par plan de cette scène, en qualifiant chaque plan (gros plan, plan moyen, scène d'ensemble…).
b. Sur quel plan le narrateur s'attarde-t-il ? Quelle valeur symbolique lui donner ?

Extrait 20

« Une armée noire, vengeresse, qui germait lentement dans les sillons »

Six semaines après ces événements dramatiques, le travail a repris, les mineurs ont accepté les baisses de salaire imposées. La Maheude, dont le fils Zacharie est mort en participant au sauvetage de ses compagnons mineurs, s'est résignée à retourner au fond, à la place de Catherine. Après une longue convalescence, Étienne décide d'abandonner la mine et de repartir pour Paris, un beau jour d'avril.

Dehors, Étienne suivit un moment la route, absorbé. Toutes sortes d'idées bourdonnaient en lui. Mais il eut une sensation de plein air, de ciel libre, et il respira largement. Le soleil paraissait à l'horizon glorieux, c'était un réveil d'allégresse[1],
5 dans la campagne entière. Un flot d'or roulait de l'orient à l'occident, sur la plaine immense. Cette chaleur de vie gagnait, s'étendait, en un frisson de jeunesse, où vibraient les soupirs de la terre, le chant des oiseaux, tous les murmures des eaux et des bois. Il faisait bon vivre, le vieux monde voulait vivre
10 un printemps encore.

Et, pénétré de cet espoir, Étienne ralentit sa marche, les yeux perdus à droite et à gauche, dans cette gaieté de la nouvelle saison. Il songeait à lui, il se sentait fort, mûri, par sa dure expérience au fond de la mine. Son éducation était finie, il
15 s'en allait armé, en soldat raisonneur de la révolution, ayant déclaré la guerre à la société, telle qu'il la voyait et telle qu'il

| 1. Une joie intense.

la condamnait. La joie de rejoindre Pluchart, d'être comme Pluchart un chef écouté, lui soufflait des discours, dont il arrangeait les phrases. Il méditait d'élargir son programme,
20 l'affinement[2] bourgeois qui l'avait haussé au-dessus de sa classe le jetait à une haine plus grande de la bourgeoisie. Ces ouvriers dont l'odeur de misère le gênait maintenant, il éprouvait le besoin de les mettre dans une gloire[3], il les montrerait comme les seuls grands ; les seuls impeccables, comme l'unique
25 noblesse et l'unique force où l'humanité pût se retremper. Déjà, il se voyait à la tribune, triomphant avec le peuple, si le peuple ne le dévorait pas.

[…]

Il marchait toujours, rêvassant, battant de sa canne de
30 cornouiller[4] les cailloux de la route ; et, quand il jetait les yeux autour de lui, il reconnaissait des coins du pays. Justement, à la Fourche-aux-Bœufs, il se souvint qu'il avait pris là le commandement de la bande, le matin du saccage des *fosses. Aujourd'hui, le travail de brute, mortel, mal payé, recom-
35 mençait. Sous la terre, là-bas, à sept cents mètres, il lui semblait entendre des coups sourds, réguliers, continus : c'étaient les camarades qu'il venait de voir descendre, les camarades noirs qui tapaient, dans leur rage silencieuse. Sans doute ils étaient vaincus, ils y avaient laissé de l'argent et des morts ; mais Paris
40 n'oublierait pas les coups de feu du Voreux, le sang de l'empire lui aussi coulerait par cette blessure inguérissable ; et, si la crise industrielle tirait à sa fin, si les usines rouvraient une à une, l'état de guerre n'en restait pas moins déclaré, sans que la paix fût désormais possible. Les charbonniers s'étaient
45 comptés, ils avaient essayé leur force, secoué de leur cri de justice les ouvriers de la France entière. Aussi leur défaite ne

---

2. Absence de grossièreté, raffinement.
3. Terme religieux qui désigne l'auréole lumineuse, la couronne de rayons qui entoure le Christ et les Saints et signale leur sainteté.
4. Arbre au bois très dur.

rassurait-elle personne, les bourgeois de Montsou, envahis dans leur victoire du sourd malaise des lendemains de grève, regardaient derrière eux si leur fin n'était pas là quand même,

50 inévitable, au fond de ce grand silence. Ils comprenaient que la révolution renaîtrait sans cesse, demain peut-être, avec la grève générale, l'entente de tous les travailleurs ayant des caisses de secours[5], pouvant tenir pendant des mois, en mangeant du pain. [...]

55 Mais Étienne, quittant le chemin de Vandame débouchait sur le pavé. À droite, il apercevait Montsou qui dévalait et se perdait. En face, il avait les décombres du Voreux, le trou maudit que trois pompes épuisaient sans relâche. Puis, c'étaient les autres fosses à l'horizon, la Victoire, Saint-Thomas, Feutry-

60 Cantel ; tandis que, vers le nord, les tours élevées des hauts fourneaux et les batteries des fours à coke fumaient dans l'air transparent du matin. S'il voulait ne pas manquer le train de huit heures, il devait se hâter, car il avait encore six kilomètres à faire.

65 Et, sous ses pieds, les coups profonds, les coups obstinés des *rivelaines continuaient. Les camarades étaient tous là, il les entendait le suivre à chaque enjambée. N'était-ce pas la Maheude, sous cette pièce de betteraves, l'échine[6] cassée, dont le souffle montait si rauque, accompagné par le ronflement

70 du ventilateur ? À gauche, à droite, plus loin, il croyait en reconnaître d'autres, sous les blés, les haies vives, les jeunes arbres. Maintenant, en plein ciel, le soleil d'avril rayonnait dans sa gloire, échauffant la terre qui enfantait. Du flanc nourricier jaillissait la vie, les bourgeons crevaient en feuilles vertes,

75 les champs tressaillaient de la poussée des herbes. De toutes parts, des graines se gonflaient, s'allongeaient, gerçaient

---

5. Fonds récoltés par les mineurs pour subvenir aux besoins de tous en cas de grève.
6. Dos.

la plaine, travaillées d'un besoin de chaleur et de lumière. Un débordement de sève coulait avec des voix chuchotantes, le bruit des germes s'épandait en un grand baiser. Encore, encore,
80 de plus en plus distinctement, comme s'ils se fussent rapprochés du sol, les camarades tapaient. Aux rayons enflammés de l'astre, par cette matinée de jeunesse, c'était de cette rumeur que la campagne était grosse. Des hommes poussaient, une armée noire, vengeresse, qui germait lentement dans les sillons,
85 grandissant pour les récoltes du siècle futur, et dont la germination allait faire bientôt éclater la terre.

Extrait de la septième partie, chapitre VI.

Grève au Creusot (1899), de Jules Adler (1865-1952).

Questions

Repérer et analyser

Le point de vue

1 Repérez les passages qui sont consacrés à la réflexion d'Étienne. Appuyez-vous sur des expressions précises.

Le cadre spatio-temporel

2 **a.** Relevez les indications spatiales et temporelles.
b. Relevez les verbes de mouvement qui marquent les déplacements d'Étienne. Quels lieux sont cités ? Dans quel ordre ? Qu'évoquent-ils ?
c. Quels moments du passé sont rappelés ?

Le parcours du héros

La fin du parcours politique

3 Quel personnage Étienne est-il devenu ? En quoi *Germinal* peut-il être considéré comme un roman d'initiation ?

4 Étienne est-il partisan de la violence ? Quel parti prend-il dans la lutte contre le Capital ? Justifiez votre réponse par des expressions du texte.

5 **a.** Quel est l'état d'esprit d'Étienne en cette fin de roman ? Relevez toutes les expressions qui vous permettent de répondre.
b. Quelles perspectives semblent se présenter pour lui ?

Le bilan social et les perspectives

6 **a.** Quelle est la condition des mineurs en cette fin de roman ? Relevez les expressions qui marquent que le passage d'Étienne a transformé la situation des mineurs.
b. Quel changement s'est opéré pour les « bourgeois de Montsou » ?

L'originalité du naturalisme de Zola

Les symboles

7 **a.** Délimitez les passages où est décrite la nature. Quelles expressions montrent que la nature est en correspondance avec l'état d'esprit d'Étienne et avec les transformations sociales qui s'annoncent ?

b. Relevez ce qui oppose les deux mondes, le monde du dessus et le monde souterrain (atmosphère, lumière, sons, personnages...).

c. Relevez les allitérations (voir p. 103) et analysez le rythme des lignes 34 à 77. Quel est l'effet produit ?

La métaphore de la germination

8 **a.** Relevez le champ lexical de la germination et analysez la métaphore filée de l'enfantement de la terre : de quoi la terre enfante-t-elle ?

b. Analysez notamment le développement de la métaphore dans les trois dernières lignes : la fin du roman vous semble-t-elle porteuse d'espoir ou inquiétante ?

c. Relisez les extraits qui précèdent : cette métaphore était-elle préparée ? En quoi permet-elle de mieux comprendre le titre du roman ?

Le début et la fin du roman

9 En quoi le début et la fin diffèrent-ils ? Appuyez-vous sur le cadre spatio-temporel, les notations de lumière et de couleurs, l'état d'esprit d'Étienne.

Les visées du roman

Un roman peut avoir plusieurs *visées* :
– intention de divertir : il s'adresse à l'imagination du lecteur ;
– visée documentaire : il témoigne d'une époque (il a alors pour arrière-plan une époque historique et un cadre socio-culturel bien précis) ;
– visée argumentative : il dénonce certains milieux, certains défauts, il prône des valeurs... Il aborde alors des thèmes politiques, sociaux, moraux... ;
– visée explicative : il analyse la psychologie des hommes, leurs émotions et sentiments.

10 Selon vous, quelles sont les différentes visées de *Germinal* ? Appuyez-vous sur l'étude que vous avez menée. Soyez précis et justifiez votre réponse.

Écrire

Écrire une autre fin

11 Imaginez une autre fin au roman, pour Étienne et éventuellement pour d'autres personnages.

Se documenter

Le titre du roman

Zola avait songé successivement à *Coup de pioche, La Maison qui craque, Le Grain qui germe, L'Orage qui monte, Le Sang qui germe, Maison rouge, Le Feu qui couve, Le Sol qui brûle, Le Feu souterrain* (voir p. 91), puis *Germinal* s'imposa :

« Je cherchais un titre exprimant la poussée d'hommes nouveaux, l'effort que les travailleurs font, même inconsciemment, pour se dégager des ténèbres si durement laborieuses où ils s'agitent encore. Et c'est un jour, par hasard, que le mot germinal m'est venu aux lèvres. Je n'en voulais pas d'abord, le trouvant trop mystique, trop symbolique, mais il représentait ce que je cherchais, un avril révolutionnaire, une envolée de la société caduque dans le printemps. [...] S'il reste obscur pour certains lecteurs, il est devenu pour moi comme un coup de soleil qui éclaire toute l'œuvre. »

Questions de synthèse

Germinal

Le narrateur et le point de vue

1 Quel est le statut du narrateur ?

2 **a.** Montrez que le narrateur varie les points de vue en relevant des passages où il adopte un point de vue omniscient, un point de vue interne (précisez alors à travers quel regard il raconte et décrit). **b.** À travers quel personnage le monde est-il le plus souvent vu et jugé ?

L'époque et les lieux

3 À quelle époque et dans quelle région se situe l'action du roman ?

Le schéma actantiel et les personnages

Le schéma actantiel

Établir le *schéma actantiel* à partir d'un personnage de roman ou de théâtre, c'est répondre aux questions suivantes :
– qui est le personnage (ou sujet) ?
– quel est l'objet de sa quête ? Que recherche-t-il ? L'amour, le pouvoir, l'argent…
– qui va l'aider dans sa quête (adjuvant) ?
– qui s'oppose à lui (opposant) ?
– qui commande l'action ou la quête du héros (un personnage, un sentiment… : c'est le destinateur) ?
– qui est le personnage bénéficiaire de la quête du héros (ce peut être lui-même ou un autre : c'est le destinataire) ?

4 Retrouvez, au terme de votre étude de *Germinal*, les différents éléments du schéma actantiel pour Étienne : identifiez la quête (qui peut prendre plusieurs formes), ses adjuvants, ses opposants. Quels pourraient être le destinateur et le destinataire ?

Les relations entre les personnages

5 Établissez sous forme d'un schéma les rapports entre les différents personnages. Résumez les traits essentiels de chacun des personnages principaux que vous avez rencontrés dans le roman.

Le personnage d'Étienne

6 Retracez le parcours amoureux et politique d'Étienne.

7 En quoi *Germinal* est-il un roman d'apprentissage ?

Le naturalisme de Zola

Le naturalisme

8 Relevez quelques passages descriptifs qui vous permettraient de faire un documentaire objectif sur la mine (les lieux, les mineurs, les activités…). Relevez le vocabulaire technique de la mine.

9 Relevez les passages où Zola montre l'influence de l'hérédité sur les personnages.

Une tonalité épique

10 En quoi le naturalisme de Zola est-il visionnaire ? Appuyez-vous sur les images (comparaisons, métaphores, personnifications, animalisations…) récurrentes dans *Germinal*.

La signification du roman et les visées

11 Quel est le sens du titre ?

12 D'après votre étude de *Germinal*, quelles vous semblent être les visées du roman ?

Deuxième partie

Le travail

Composition pour les Constructeurs, 1950. Peinture de Fernand Léger (1881-1955).

Plaute

« Maîtres et esclaves »

Dans l'antiquité gréco-romaine, le travail est, pour l'essentiel, l'affaire des esclaves, véritables « machines », « outils » humains. Les comédies de l'auteur latin Plaute (254-184 avant J.-C) reflètent cette réalité. L'esclave est un personnage traditionnel du théâtre comique, ainsi que le marchand d'esclaves, comme ce Ballion, qui apparaît comme un individu brutal, finalement dupé par ceux qu'il accable.

BALLION – Sortez, allons, sortez, fainéants, trop chèrement nourris, trop chèrement achetés, dont aucun n'a jamais l'idée de bien faire, et dont on ne peut tirer aucun service, sauf par ce procédé[1]. Je ne connais pas plus ânes que ces hommes-
5 ci : tant les coups ont durci les côtes. Quand on les frappe, on se fait mal plus qu'eux ; car ils sont de la race des useurs d'étrivières[2]. Ils ne pensent qu'à ceci : à la première occasion rapiner[3], filouter[4], prendre, agripper, boire, manger, s'enfuir. Voilà leur besogne. Aussi vaudrait-il mieux laisser des loups
10 près des moutons que pareils gardiens à la maison. À les voir pourtant, on ne les croirait pas méchants ; mais, à l'œuvre, quelle différence !
   Or çà, si vous ne faites pas attention, tous, à mon édit[5], si vous n'éloignez sommeil et nonchalance de vos cœurs et de
15 vos yeux, mon fouet vous bariolera les reins d'importance, à faire pâlir en comparaison les tentures campaniennes[6] et les tapis à poil ras d'Alexandrie, avec tous leurs dessins de bêtes. Déjà hier j'avais tout prescrit, donné à chacun son emploi.

---

1. Il montre son fouet.   4. Ruser.
2. Fouets.   5. À ma loi, à mes commandements.
3. Voler.   6. Tapisseries de la Campanie (plaine d'Italie).

Mais vous êtes si négligents, gâtés, malfaisants, qu'il faut
20 rappeler votre devoir à force de coups. Tel est votre esprit, la
dureté de votre cuir viendrait à bout de ceci[7] et de moi...
Regardez-les un peu, qui pensent à tout autre chose. Allons,
à votre affaire, attention ! Les oreilles ouvertes à mes paroles,
race patibulaire[8]. Pardieu, votre cuir ne sera pas plus dur que
25 celui-ci. Hein ! ça fait mal ! Ainsi en donne-t-on aux esclaves
qui ne tiennent pas compte du maître. Allons, toi, debout
devant moi, et attention à ce que je dis. Toi qui as la cruche,
vite à l'eau ; et emplis le chaudron de la cuisine. Toi, avec ta
hache, tu auras l'emploi de fendeur de bois.

30 L'ESCLAVE – Mais elle est émoussée.

BALLION – Bon : ne l'êtes-vous pas de coups ? Est-ce une
raison pour que je ne vous utilise pas tous ? – À toi le nettoyage
de la maison ; tu as à faire ; vite, entres-y. Toi, tu disposeras la
salle à manger. Toi, nettoie l'argenterie et dresse-la. – Quand
35 je reviendrai du forum[9], que je trouve tout prêt, balayé, arrosé,
arrangé, posé, paré, dressé. C'est aujourd'hui mon anniver
saire : vous devez tous célébrer ma fête.

Pseudolus, v. 133-165, traduction J. Bayet,
in *Littérature latine* (1996), © Armand Colin.

---

7. Il montre de nouveau son fouet. | 9. Place publique.
8. Qui mérite le gibet, la potence.

Questions

Repérer et analyser

Le genre du texte et la situation d'énonciation

1 Identifiez le genre du texte. Appuyez-vous sur des indices précis.

2 **a.** Qui parle ? À qui ? Sur quel ton ?

b. Combien y a-t-il de destinataires ? Justifiez votre réponse.

c. Relevez un indice de lieu dans cet extrait. À quelle époque la scène se déroule-t-elle ?

Les relations entre les personnages

3 Relevez les mots et expressions qui désignent et caractérisent les esclaves. Les termes sont-ils mélioratifs ou péjoratifs ?

4 Quelles sont les différentes tâches que doivent effectuer les esclaves ?

5 **a.** Quel comportement Ballion a-t-il envers ses esclaves ? Quel jugement porte-t-il sur eux ?

b. Quel ton adopte-t-il ? Relevez les comparaisons qu'il utilise. Quel est l'effet produit ?

La visée

6 Pour qui le spectateur prend-il parti ? Qu'en déduisez-vous sur la visée du texte ?

S'exprimer à l'oral

Jouer une scène de théâtre

7 Un élève joue le rôle de Ballion : vous prendrez le ton qui convient tout en forçant le caractère du personnage (n'oubliez pas que c'est un personnage de comédie, n'atténuez pas la caricature). Les autres élèves jouent le rôle des esclaves. Pensez aux « figurants » (les esclaves), à leurs attitudes et à leurs mimiques…

Comparer

8 Comparez cet extrait à la scène 1 de l'acte III de *L'Avare* (de Molière), dans laquelle un vieil avare, Harpagon, distribue les tâches à ses domestiques. Quelles sont les similitudes entre les deux personnages : Ballion et Harpagon ?

Se documenter

Les esclaves dans l'Antiquité

L'économie de l'Antiquité reposait, pour l'essentiel, sur les *esclaves* : les guerres incessantes des Grecs et des Romains fournissaient, grâce aux prisonniers, une main-d'œuvre abondante et bon marché. Ces civilisations ne disposaient en effet d'aucune machine (pas même du moulin à eau, comme les Égyptiens) et les esclaves tenaient lieu de force motrice.

Au Ve siècle avant Jésus-Christ, Athènes compte deux cent mille personnes libres pour trois cent mille esclaves (plus des 3/5 de la population globale). L'esclave domestique était considéré comme faisant partie de la famille et, à ce titre, bénéficiait d'une situation relativement douce ; bien mieux, quoique l'esclave n'eût théoriquement aucun droit, la loi lui accordait certaines protections, certaines garanties contre les violences qu'il pouvait subir.

Quelles sont les activités des esclaves ? À la campagne, ils aident les petits propriétaires dans les travaux des champs. C'est l'industrie qui emploie le plus d'esclaves, et ce d'autant plus que les citoyens libres professaient un certain mépris pour le travail manuel. « Dockers », cordonniers, potiers se trouvaient regroupés dans des ateliers plus ou moins importants. Les plus doués pouvaient être médecins, maîtres d'école, secrétaires de riches banquiers.

Chez un personnage aisé, on trouvait facilement une dizaine d'esclaves : portier, cuisinier, servantes employées aux tâches ménagères. Deux catégories d'esclaves menaient une vie très misérable : ceux que l'on envoyait dans les mines de plomb du Laurion, au sud de l'Attique (déjà *Germinal*) et ceux qui travaillaient dans les moulins.

Apulée, romancier de l'Antiquité, nous a laissé cette pitoyable description des esclaves d'un moulin :

« Quels pauvres hommes c'étaient, toute la peau tavelée de meurtrissures bleuâtres, le dos zébré de coups, mal couvert d'une guenille déchirée, certains avec un pagne seulement, les tuniques mêmes laissant voir les corps à travers leurs loques ; des lettres marquées au front, la tête à moitié rasée, des anneaux de fer aux pieds ; et puis une pâleur affreuse, les paupières rongées par la noire et brûlante fumée des fours, tous la vue affaiblie ; et tous d'un blanc sale sous la farine qui les couvrait de poussière. »

Remarquez que pratiquement toutes les parties du corps de ces malheureux sont maltraitées ou mutilées.

À Rome, la situation des esclaves, au début du moins, ressemblait à celle des esclaves à Athènes. Les plus à plaindre étaient ceux qui appartenaient au troupeau (plusieurs milliers) de quelque richissime personnage : loin de partager la vie de la famille, ils étaient mal logés, mal nourris, soumis à l'autorité sans retenue d'intendants plus tyranniques que les maîtres légitimes. Ajoutons qu'en plus de la menace des mines ou du moulin, pesait, à Rome, celle de la remise à l'entrepreneur de spectacles et de combats de gladiateurs.

En tout cas, l'esclave est la propriété de son maître et il est considéré comme une chose.

La Déclaration universelle des droits de l'homme

Article 23

1. Toute personne a droit au travail, au libre choix de son travail, à des conditions équitables et satisfaisantes de travail et à la protection contre le chômage.

2. Tous ont droit, sans aucune discrimination, à un salaire égal pour un travail égal.

3. Quiconque travaille a droit à une rémunération équitable et satisfaisante, lui assurant ainsi qu'à sa famille une existence conforme à la dignité humaine et complétée, s'il y a lieu, par tous les autres moyens de protection sociale.

4. Toute personne a le droit de fonder avec d'autres des syndicats et de s'affilier à des syndicats pour la défense de ses intérêts.

Article 25

Toute personne a droit au repos et aux loisirs et notamment à une limitation raisonnable de la durée du travail et à des congés payés périodiques.

Paris, le 10 décembre 1948.

La Déclaration universelle des droits de l'homme.
Textes rassemblés par Mario Bettati, Olivier Duhamel,
Laurent Greilsamer pour *Le Monde*, © Éd. Gallimard, 1998.

Questions

Repérer et analyser

Le genre du texte et la visée

1 **a.** Identifiez le genre du texte. Appuyez-vous sur des indices précis pour répondre.

b. Dans quelles circonstances a-t-il été publié ? À quelle date ? Dans quel but ?

c. Quelles personnes ont participé à sa rédaction ?

2 **a.** Qu'est-ce qu'un article ?

b. Quelle est la nature grammaticale des mots « toute », « tous », « quiconque », « toute » ?

3 **a.** Donnez un synonyme du mot « rémunération ».

b. Qu'entend-on par « protection sociale » ?

c. Qu'est-ce qu'un syndicat ? Quel est son rôle ?

4 **a.** Quels sont les grands principes énoncés dans ces articles ? Répondez en citant des expressions du texte.

b. Quelle en est la visée ?

Enquêter

5 Définissez le mot « chômage ». Combien y a-t-il de chômeurs actuellement en France et dans le monde ?

6 Quels sont les « moyens de protection sociale » que vous connaissez ?

Étudier le lexique

7 Le nom « travail » remonte à un mot latin « tripalium » qui désignait un instrument de torture composé de trois pieux (tri = trois + palium = pieu, comme dans palissade) : les maréchaux-ferrants se servent encore aujourd'hui d'un « travail » : pour quoi faire ?

8 Sur ce nom « travail » fut créé le verbe « travailler », alors synonyme de torturer, tourmenter. De ce sens actif transitif, il reste quelques emplois.

a. Que signifie « travailler un cheval », « travailler un taureau », « travailler le fer » et « travailler la pâte » ?

b. Aujourd'hui encore, cet emploi subsiste, mais paraît familier. Cherchez des synonymes de « travailler » dans les expressions : « Mes rhumatismes me travaillent » ou « Le souci me travaille ».

c. C'est ce dernier type de phrases qui a donné naissance à l'emploi intransitif du verbe. « Travailler » a donc pris le sens de souffrir, peiner. On dit d'une femme qui accouche qu'elle est « en travail » : pourquoi ? C'est ainsi que l'idée d'activité pénible apparaît dans le sens moderne de « travailler ».

d. Recherchez le plus grand nombre possible de synonymes de « travail » et de « travailler ».

9 En ancien français, « travailler » se disait « ouvrer », du latin « operare » (qu'on retrouve dans « opérer »). Le mot ne s'est maintenu que dans une série de noms indiquant le travail et son résultat : que signifie un jour ouvrable ? Que fait-on dans un ouvroir ? Qu'est-ce que le fer ouvré ?

On utilisait aussi le verbe « labourer », qui s'est spécialisé aujourd'hui : dans quel domaine ? Mais qu'est-ce qu'un labeur ? Comment appelle-t-on en France le *Labour Party*, un des deux partis politiques anglais ?

Jean de La Fontaine

Le Laboureur et ses enfants

Jean de La Fontaine (1621-1695) prétendait avoir fait de sa vie deux parts consacrées « l'une à dormir, et l'autre à ne rien faire » ! En fait, il consacrait beaucoup de temps à son œuvre. Dans ses Fables, il montra sa sympathie pour les travailleurs, surtout pour les petites gens – artisans, agriculteurs – qui travaillent pour vivre ; au contraire, les oisifs et les parasites, courtisans, fermiers généraux… faisaient l'objet de son mépris.

Travaillez, prenez de la peine :
C'est le fonds qui manque le moins[1].
Un riche Laboureur, sentant sa mort prochaine,
Fit venir ses enfants, leur parla sans témoins.
5　Gardez-vous, leur dit-il, de vendre l'héritage
　　　Que nous ont laissé nos parents.
　　　Un trésor est caché dedans.
Je ne sais pas l'endroit ; mais un peu de courage
Vous le fera trouver, vous en viendrez à bout.
10　Remuez votre champ dès qu'on aura fait l'Oût[2].
Creusez, fouillez, bêchez ; ne laissez nulle place
　　　Où la main ne passe et repasse.
Le père mort, les fils vous retournent le champ
Deçà, delà, partout ; si bien qu'au bout de l'an
15　　　Il en rapporta davantage.
D'argent, point de caché. Mais le père fut sage
　　　De leur montrer avant sa mort
　　　Que le travail est un trésor.

Fables, V, 9.

| 1. C'est la richesse qui rapporte à tout coup du bénéfice.　| 2. Le mois d'août.

Repérer et analyser

Le genre du texte et le discours narratif

1 Identifiez le genre du texte. Appuyez-vous sur des indices précis.

2 Résumez brièvement l'histoire racontée.

3 Repérez les paroles rapportées. Sont-elles rapportées au style direct ou indirect ? Quel est l'effet produit par leur emploi ?

4 Par quels procédés le fabuliste rend-il compte du travail intense : conseillé par le Laboureur à ses enfants (vers 10 à 12) ; effectué par les fils (vers 13-14) ? Appuyez-vous sur le lexique, le rythme des vers, les coupes, les enjambements.

La morale et la visée

5 Repérez la morale. Où est-elle située ?

6 **a.** Quel est le sens du mot « trésor » aux vers 7 et 18 ?
b. En quoi consiste la vraie richesse pour La Fontaine ?

7 Quelles sont les visées de cette fable ?

Écrire

Exprimer un point de vue

8 « Le travail est un trésor » : êtes-vous de l'avis de La Fontaine ? Justifiez votre réponse avec précision.

Écrire une fable

9 Composez, à votre tour, une fable pour montrer que « le travail est un trésor ». Imitez La Fontaine en utilisant le style direct, le dialogue, des vers de diverses longueurs, des rythmes expressifs…

Se documenter

Les *Fables* de La Fontaine

Une autre fable de La Fontaine donne un peu la même leçon : *Le Marchand, Le Gentilhomme, Le Pâtre et le fils de Roi* (livre X, fable 15). On y lit ce vers : « Travaillons ! C'est de quoi nous mener jusqu'à Rome. »

Victor Hugo

« Où vont tous ces enfants... »

Victor Hugo (1802-1885), chef de file du mouvement romantique et défenseur des opprimés, était convaincu que les écrivains, les poètes devaient mettre leur talent, leur prestige au service de tous ceux qui n'ont pas la possibilité de faire entendre leurs revendications. C'est pourquoi il se lança dans l'action politique pour parler contre la peine de mort, l'injustice sociale. Ce sont les humbles qu'il voulait servir, et surtout les enfants dont il se sentait très proche (il adorait les siens, qu'il perdit tragiquement). Or, quoi de plus révoltant et de plus émouvant que le sort de ces milliers d'enfants jetés, dès huit ans, et même avant, dans des travaux terribles, pendant tout le début du XIXᵉ siècle ?

Où vont tous ces enfants dont pas un seul ne rit ?
Ces doux êtres pensifs que la fièvre maigrit ?
Ces filles de huit ans qu'on voit cheminer seules ?
Ils s'en vont travailler quinze heures sous des meules :
5   Ils vont, de l'aube au soir, faire éternellement
Dans la même prison le même mouvement.
Accroupis sous les dents d'une machine sombre,
Monstre hideux qui mâche on ne sait quoi dans l'ombre,
Innocents dans un bagne, anges dans un enfer,
10 Ils travaillent. Tout est d'airain[1], tout est de fer.
Jamais on ne s'arrête et jamais on ne joue.
Aussi quelle pâleur ! la cendre[2] est sur leur joue.
Il fait à peine jour, ils sont déjà bien las.
– Ils ne comprennent rien à leur destin, hélas !

| **1.** Tout est de bronze. | **2.** Symbole de la mort.

15 Ils semblent dire à Dieu : – Petits comme nous sommes,
Notre père, voyez ce que nous font les hommes ! –
Ô servitude infâme[3] imposée à l'enfant !
Rachitisme[4] ! travail dont le souffle étouffant
Défait ce qu'a fait Dieu : qui tue, œuvre insensée,
20 La beauté sur les fronts, dans les cœurs la pensée.
Et qui ferait – c'est là son fruit[5] le plus certain ! –
D'Apollon[6] un bossu, de Voltaire un crétin[7] !
Travail mauvais qui prend l'âge tendre en sa serre[8],
Qui produit la richesse en créant la misère,
25 Qui se sert d'un enfant ainsi que d'un outil !
Progrès dont on demande : Où va-t-il ? que veut-il ?
Qui brise la jeunesse en fleur ! qui donne, en somme,
Une âme à la machine et la retire à l'homme !
Que ce travail, haï des mères, soit maudit !
30 Maudit comme le vice où l'on s'abâtardit[9].
Maudit comme l'opprobre[10] et comme le blasphème[11] !
Dieu ! qu'il soit maudit au nom du travail même,
Au nom du vrai travail, sain, fécond, généreux.
Qui fait le peuple libre et qui rend l'homme heureux !

Les Contemplations, « Melancholia » (1838).

---

3. Scandaleuse, déshonorante.
4. Maladie qui déforme le squelette des jeunes enfants mal nourris.
5. Son résultat.
6. Dieu grec de la beauté, de la lumière.
7. Philosophe et écrivain français du XVIIe siècle, d'un grand esprit.
8. Griffe acérée d'un rapace.
9. Dégénère.
10. Déshonneur.
11. Parole injurieuse envers Dieu ou une divinité.

Questions

Repérer et analyser

Le genre du texte et la situation d'énonciation

1 Quel est le mètre utilisé dans ce poème?

2 Repérez les vers dans lesquels Victor Hugo se livre à un commentaire.

Le langage poétique

3 Quel est le décor évoqué? À quel moment de la journée?

4 Relevez les mots qui suggèrent couleurs et lumières. Quelles sont les couleurs dominantes? Quel effet de contraste Hugo ménage-t-il dans les couleurs (voir le vers 12 notamment)?

5 **a.** Relevez les mots et expressions qui désignent les enfants. Quelle image est donnée d'eux?

b. Relevez des expressions, des effets de rythme qui évoquent le caractère répétitif du travail.

c. Quels sont les effets du travail sur le corps des enfants? et sur leur esprit?

6 Relevez et analysez toutes les métaphores qui désignent les machines (vers 7 à 9), le lieu de travail (vers 6 et 9), le travail lui-même (vers 18 à 25).

7 Par quels procédés le poète fait-il sentir son indignation? Pour répondre, relevez à partir du vers 17 les apostrophes, les formes de phrases, le rythme des vers (vers 18, 19, 20, 26...), les antithèses.

8 En vous aidant des notes, donnez le sens des vers 22 à 24 et 28. Quelles valeurs sont perverties par le travail?

La visée

9 Expliquez le passage du déterminant «ces» («ces enfants», v. 1) au déterminant «l'» («l'enfant», v. 17).

10 Quel système économique précis Hugo dénonce-t-il?

11 **a.** Quels sont les deux aspects du travail présentés dans ce texte? Relevez les adjectifs qui qualifient ces deux formes de travail.

b. Quels sont les conséquences ou les fruits de l'un et de l'autre?

12 Quelle est la visée du poème?

Se documenter

Le travail des enfants

Depuis les temps les plus anciens, les enfants ont travaillé, souvent dès leur petite enfance (dans l'Antiquité, à Rome, en Grèce, en Égypte, beaucoup naissaient esclaves). Ce n'est que le 22 mars 1841 qu'intervient, en France du moins, une loi sur le travail des enfants :

« De huit à douze ans, ils ne pourront être employés au travail effectif plus de huit heures sur vingt-quatre, divisées par un repos. De douze à seize ans, ils ne pourront être employés au travail effectif plus de douze heures sur vingt-quatre, divisées par des repos.

Ce travail ne pourra avoir lieu que de cinq heures du matin à neuf heures du soir...

Tout travail de nuit est interdit pour les enfants au-dessous de treize ans. »

Le 19 mars 1874, l'âge minimum passe à douze ans et la durée maximale est portée à douze heures. Une exception : de dix à douze ans, les enfants peuvent travailler six heures. De nos jours, l'âge minimum est celui où cesse l'obligation scolaire (normalement seize ans, sauf pour les professions ambulantes ou les enfants employés occasionnellement pour les spectacles ou travaillant sous l'autorité parentale). On considère comme enfants les adolescents jusqu'à dix-huit ans. Il est exigé un repos de nuit de douze heures et le travail de nuit est interdit entre vingt-deux heures et six heures. À l'occasion de l'Année internationale de l'enfance (1979), la Charte des enfants précise les droits de ces derniers.

Jean Giono

« Dans chaque coup, il y a sa vie, à lui »

Jean Giono (1895-1970), dans la plupart de ses livres, décrit l'existence de gens simples, travailleurs proches de la nature, paysans, artisans. Dans Regain, *qui fait suite à* Colline *et* Un de Baumugnes, *Giono célèbre l'énergie de quelques hommes acharnés à faire revivre un village abandonné de Haute-Provence. Y habite encore seulement le forgeron Gaubert.*

Gaubert, c'est un petit homme tout en moustache. Du temps où il y avait ici de la vie, je veux dire quand le village était habité à plein, du temps des forêts, du temps des olivaies[1], du temps de la terre, il était charron. Il faisait des charrettes,
5 il cerclait les roues, il ferrait les mulets. Il avait alors de la belle moustache en poils noirs ; il avait aussi des muscles précis et durs comme du bambou et trop forts pour son petit corps, et qui le lançaient à travers la forge, de-ci, de-là, de-ci, de-là, toujours en mouvement, à sauts de rat. C'est pour cela qu'on
10 lui a mis le nom de « guigne-queue » : ce petit oiseau que les buissons se jettent comme une balle sans arrêt pendant trois saisons de l'an.

C'est Gaubert qui faisait les meilleures charrues. Il avait un sort. Il avait creusé un trou sous un cyprès et le trou s'était
15 empli d'eau, et cette eau était amère comme du fiel de mouton, probablement parce qu'elle suintait d'entre les racines du cyprès. Quand il voulait faire une charrue, il prenait une grande pièce de frêne et il la mettait à tremper dans le trou.

| **1.** Plantation d'oliviers.

Il la laissait là pas mal de temps, de jour et de nuit, et il venait
20 quelquefois la regarder en fumant sa pipe. Il la tournait, il la
palpait, il la remettait dans l'eau, il la laissait s'imbiber, il la
lavait avec ses mains. Des fois, il la regardait sans rien faire.
Le soleil nageait tout blond autour de la pièce de bois. Quand
il revenait à la forge, Gaubert avait les genoux des panta-
25 lons tout verts d'herbe écrasée. Un beau jour, c'était fait ; il
sortait sa poutre et il la rapportait sur l'épaule, toute dégout-
tante d'eau comme s'il était venu de la pêcher dans la mer ;
puis il s'asseyait devant sa forge. Il mettait la pièce de bois
sur sa cuisse. Il la pesait de chaque côté à petites pesées ; il la
30 tordait doucement et le bois prenait la forme de la cuisse.
Eh bien, ça, fait de cette façon, c'étaient les meilleures charrues du monde des laboureurs. Une fois finie, on venait la
voir ; on la touchait ; on la discutait ; on disait :

– Gaubert, combien tu en veux ?

35 Et lui, il s'arrêtait de sauter de l'enclume au baquet pour
dire :

– Elle est promise.

Maintenant, Gaubert, c'est un petit homme tout en moustache. Les muscles l'ont mangé. Ils n'ont laissé que les os, la
40 peau de tambour. Mais il a trop travaillé, et plus avec son cœur
qu'avec ses bras ; ça fait maintenant comme une folie.

Sa forge est au sommet du village. C'est une forge froide et
morte. La cheminée s'est battue avec le vent et il y a des débris
de plâtre et de briques dans le foyer. Les rats ont mangé le cuir
45 du soufflet. C'est là qu'il habite, lui, Gaubert. Il a fait son lit
à côté du fer qui restait à forger et qu'il n'a pas forgé. C'est
allongé, glacé dans l'ombre, sous la poussière, et il s'allonge
à côté le soir. Sur le parquet de terre battue, l'humide a fait
gonfler des apostumes[2] gras. Mais, il y a encore l'enclume,

| **2.** Grosseurs, tumeurs.

50 et autour d'elle comme un cal, la place nette, tannée par les pieds du forgeron. L'enclume est toute luisante, toute vivante, claire, prête à chanter. Contre elle il y a aussi un marteau pour « frapper devant ». Le bois du manche luit du même bon air que l'enclume. Tout le jour, quand il s'ennuie, Gaubert vient,

55 met les deux mains au marteau, le lève et tape sur l'enclume. Comme ça, pour rien, pour le bruit, pour entendre le bruit, parce que, dans chaque coup, il y a sa vie, à lui.

Regain (1930), © Éditions Grasset.

Charron, France, vers 1900.

Repérer et analyser

Le genre et la structure du texte

1 Identifiez le genre du texte. Relevez des indices précis.

2 Distinguez les deux grandes parties de cet extrait. Appuyez-vous sur les temps verbaux utilisés. Donnez-leur un titre.

Le cadre

3 Quel est le cadre ? Citez le texte. Relevez les personnifications.

Le portrait d'un travailleur

4 Quels détails le narrateur retient-il pour composer le portrait physique de Gaubert ? Appuyez-vous sur des mots précis.

5 **a.** Relevez tous les termes qui se réfèrent à son métier, le charronnage (matériaux, outils…).

b. Relevez les verbes qui évoquent son activité.

c. Relevez une phrase qui rend sensible la vitalité de Gaubert (l. 1 à 12). Étudiez-en le rythme.

6 **a.** Comment comprenez-vous : « Mais il a trop travaillé, et *plus avec son cœur qu'avec ses bras* ; ça fait maintenant comme une folie » ?

b. Comment Gaubert considère-t-il son travail ? Quelle expression rend le mieux compte de cette relation à son métier ?

Enquêter

7 Beaucoup de métiers sont en voie de disparition : lesquels ? Cherchez les causes de cette disparition, en menant une enquête auprès des gens concernés.

8 **a.** Gaubert n'arrive pas à s'habituer à ce « repos » qui ressemble à celui de la retraite. Connaissez-vous des gens qui ne peuvent se résoudre à ne plus travailler, à ne plus exercer leur métier ? Interrogez-les et faites part, par écrit, de leurs réflexions.

b. Recherchez quel est l'âge de la retraite, dans diverses professions. Quels problèmes économiques pose la retraite pour un pays ?

Témoignage de José Gonçalves Dias

« Mon travail
ne me laisse aucun répit »

Je m'appelle José Gonçalves Dias, mais les gens d'ici me connaissent sous le nom de Zezao. Je suis né le 12 avril 1960 à Montes Claros, dans une région pauvre du Minas Gerais, pas loin de la frontière avec l'État de Bahia. Mes parents ont
5 toujours travaillé pour des grands exploitants agricoles. Comme mes trois frères, je n'ai fréquenté l'école que durant quelques mois.

J'ai passé toute mon enfance et ma jeunesse à couper de la canne à sucre et à sarcler des champs de manioc. J'avais vingt-
10 cinq ans quand j'ai épousé Maria Valquiria, fille elle aussi de travailleurs agricoles. Peu après notre mariage, nous avons commencé à travailler dans des charbonneries des environs de Montes Claros.

Toute la journée on fabriquait du charbon de bois dans des
15 fours arrondis, construits en briques que l'on cimente avec de la boue. Comme on était payé au rendement, on s'en sortait à peu près, même avec des enfants en bas âge. Et puis en 1989, un recruteur de main-d'œuvre nous a proposé, dans des conditions qui nous ont semblé intéressantes, le même genre de
20 travail dans le Mato Grosso do Sul.

Plusieurs familles de charbonniers se sont laissées tenter. Pendant trois jours, on a voyagé, entassés à vingt dans un camion, jusqu'à une plantation d'eucalyptus. Dès le lendemain, le recruteur nous a annoncé qu'on lui devait le prix du
25 transport, que nous pensions gratuit. [...] En 1992, la charbonnerie où je travaillais avec ma femme a été revendue à un certain Mateus. L'un des nouveaux gérants, Antonio Guilherme, m'a confié l'exploitation de trente-six fours à

Pitanguy, à une quinzaine de kilomètres de Ribas do Rio Pardo.
30 Ici, on m'a remis un livret de travail mais le salaire indiqué
(98 reals, soit environ 500 francs) ne correspond à rien. Je suis
payé 1,50 reals (7,50 francs) par mètre cube de charbon livré,
c'est la seule chose que le patron prenne en compte.

Le travail de charbonnier ne laisse aucun répit. Dès qu'un
35 four est libre, il faut le remplir de billes d'eucalyptus, y mettre
le feu, puis boucher la porte avec des briques et de la boue.
Pour éviter une combustion trop forte, qui brûlerait le bois,
il faut sans arrêt surveiller la fumée qui s'échappe des fours
et colmater les fentes avec de la boue.

40 La nuit, je suis obligé de faire des rondes régulières. Parfois,
ma femme et mon fils aîné de seize ans, Renato, qui boite
depuis deux ans à la suite d'une mauvaise chute, se chargent
de la corvée. La chaleur est très dure à supporter. On vit en
permanence dans la suie et la fumée qui nous collent à la peau.
45 Je ne m'arrête de travailler que lorsque le bois vient à manquer,
ce qui n'arrive que très rarement. Mes congés se limitent à
quelques jours de chômage forcé. Je peux me tenir pour satis-
fait quand je fais 159 reals (750 francs) dans le mois. Café très
clair le matin, deux platées par jour de riz, haricots et farine
50 de manioc : c'est tout ce que je peux offrir à ma famille.

Pendant sept ans, j'ai travaillé dans des charbonneries du
Mato Grosso do Sul sans jamais voir la couleur d'un billet
de banque. À Pitanguy, c'est le gérant qui s'occupe de mes
provisions. Il me fait signer des « bons » dont je ne comprends
55 que les nombres qu'il inscrit. Je ne sais pas signer mais je sais
« dessiner » mon nom. Il y a deux ans, grâce à l'aide du syndicat
des travailleurs ruraux, deux de mes enfants, âgés de sept et
dix ans, ont obtenu ce qu'on appelle une « bourse de la citoyen-
neté ». Un bus les prend le matin pour les amener à l'école.
60 Pour compenser leur part de travail aux fours, on leur remet
100 reals par mois. Peut-être qu'ils ne finiront pas dans une
charbonnerie…

Malgré tout, ce que je crains le plus, à cause des plantations d'eucalyptus qui s'épuisent, c'est de me retrouver bientôt au
65 chômage. Obtenir un lopin de terre dans le cadre de la réforme agraire sera alors mon dernier espoir.

Dans la région du Mato Grosso do Sul, à proximité de la frontière ouest du Brésil, environ cinq mille « charbonniers » travaillent dans des conditions d'insalubrité épouvantables pour des salaires de misère. À la suite d'une violente campagne de presse, leurs enfants ne sont plus contraints de les aider et reçoivent une bourse mensuelle de 250 francs s'ils sont scolarisés.

Propos recueillis par Jean-Jacques Sévilla,
la Déclaration universelle des droits de l'homme.
Textes rassemblés par Mario Bettati, Olivier Duhamel,
Laurent Greilsamer pour *Le Monde*, © Éd. Gallimard, 1998.

Repérer et analyser

La situation d'énonciation et le genre du texte

1 Identifiez la situation d'énonciation (qui parle? À qui? Où? Quand?). Appuyez-vous sur le texte.

2 S'agit-il d'un texte de fiction? Justifiez votre réponse.

Le récit

3 Relevez les indications de temps et de lieu. Retracez les étapes essentielles de la vie de José Gonçalves Dias.

4 **a.** Sur quelle base José Gonçalvez Dias était-il rétribué jusqu'en 1989?

b. Sur quelle base l'est-il à partir de 1992?

5 En quoi consiste le travail de charbonnier?

6 **a.** Quelles sont les conditions de vie de José Gonçalves Dias? Appuyez-vous sur le texte.

b. Que craint-il?

7 Quel espoir s'annonce pour les enfants? En quoi s'agit il ici d'une avancée?

La visée

8 Quelle est la visée de ce texte?

Écrire

Rédiger une interview

9 Les enfants de Gonçalves Dias expriment à leur tour au journaliste leurs peines et leurs espoirs. Vous pouvez présenter votre texte sous forme d'une interview.

Index des rubriques

Table des illustrations

Iconographie : Hatier Illustration/Sandra André

Principe de maquette : Mecano-Laurent Batard

Mise en page : Alinéa

Dépôt légal : 37479 - octobre 2007

Imprimé en France par Hérissey à Évreux - N° 106349